S0-AFI-412

THINK & TALK™

SPANISH
BOOK 2

THINK & TALK™

SPANISH
BOOK 2

BERLITZ PUBLISHING COMPANY, INC.
NEW YORK, NY

Berlitz Publishing Company, Inc.
257 Park Avenue South, New York, NY 10010

Printed in U.S.A. June 1991

ISBN 2-8315-1157-7

PREFACE

To the Student:

Whoever designed, fifty years ago, a test for drivers of automobiles was faced with a choice: whether to examine the applicant's knowledge of the vehicle, its parts and mechanics, their function and coordination, or simply the driver's skills in handling the car on the road. Do I have to be acquainted with the inner workings of a car (or of a language, for that matter) before I can properly use it? When the centipede was asked how he managed to move all those legs in the right order, he started to think about it—and was paralyzed then and there. The conscious control of a complicated system of rules does not seem to be the ideal solution when the acquisition of a skill is at stake—be it walking or talking, driving or writing or reading. Skills are developed by practice. We learn to do things by doing them—which is not exactly a new idea. We learn to speak a foreign language by speaking it, not by talking *about it*, nor by reading or writing, by memorizing vocabulary lists, by parsing sentences or by translating pieces of literature. Besides, proficiency in one area like reading does not necessarily prepare the student for conversing. Reading comprehension and comprehension of the spoken word are two surprisingly different skills; the latter can only be measured against native speakers, against their pronunciation and their rate of speech, and must be acquired by appropriate training.

The Most Natural Approach

Many techniques for teaching or learning a foreign language have been suggested, and many have been discarded. However, it seems there is one scenario that has not been given enough attention: the extraordinary performance of children learning their native tongue. Why not look at this natural miracle as a possible model for learning a second language?

Even before birth the child is exposed to, and receives, messages by sound: the body sounds of the mother. In fact, for some time after birth, those maternal body sounds and their meaning have not been forgotten. Dr. H. Murooka, a Japanese gynecologist, kept premature babies quiet during examinations by exposing them to the recording of a pregnant woman's internal body sounds. Normal babies, too, though hungry before feeding time, demonstrated the soothing effect of the same record when it was transmitted over the hospital's public address system—another, and not the least, proof for the merits of electronic sound reproduction.

The newborn first responds to language as noise, by cooing, shrieking, crying, babbling—indefinite responses to the surrounding sounds. Then pitch and stresses begin to color the baby's experimentation. Vocalization starts with vowels; their combinations with consonants follow. A little later, when first concepts of a toy, a person or an action have been formed, what so far has been an echo of speech is turned into a more searching imitation of sound units: the first words, after having been heard many times, are being reproduced. With the discovery that people and things are labeled, the infant realizes that words bring them closer, that words exercise power; they promote the baby's conquest of the world: Mommy and Daddy, bottles and bathtubs, bears and balls are part of the child's earliest repertoire, selected by the little learner because of its usefulness for him.

This process continues by qualifying the *little* ball versus the *big* one, a *good* boy as more welcome than the *bad* one: adjectives are being used. "This" and "that" help to get the right toy, the nicer dress, the biggest piece of candy: demonstrative adjectives prove to be of service.

Where things are is discovered to be of importance: *in* the box, *on* the table, *under* the chair; prepositions of place (in, on, under) interest the small child sooner than those of time. Action concepts find their expression first in single terms like *There! Out! Go!,* then in association with subjects and objects: *Baby go! Bye-bye Daddy!*—which may be requests, complaints or descriptions. Dramatizations are played out, like Mother's role on the phone: *Hello! Yes, yes, yes. No, no, no! Bye!,* a scene with a minimum of words and a maximum of emotion that needs an audience and applause, both of which warrant, in Baby's opinion, many repeat performances.

Plurals and past-tense forms are spontaneously incorporated; irregular plurals *(children)* appear; irregular verb-forms *(took)* may pass through erroneous forms *(taked, tooked)* in a process of trial, error and correction. Children, like people more advanced in age, expect certain regularities in the language; they are inclined to proceed by analogy and to follow patterns when they seem to exist; when they don't, inconsistencies *(took, children)* are given the same pin-pointing attention as new units of the vocabulary.

A Model for Foreign-Language Learning?

The natural process of first-language learning has these characteristics:

- The "pupil" receives "private instruction."
- Several people, usually members of the family, act as "tutors."

- The tutors are "native speakers" of the language.
- Through extended periods of listening, the child develops an ear for the language.
- While progressively discriminating and imitating the sounds heard, the learner exercises his organs of speech.
- Gradually, the practiced sounds take on meaning.
- Meaning is circumscribed by situation and context.
- Further clarification is given *directly* in the one and only language spoken by everybody around.
- Vocabulary is selected because of its usefulness.
- Regular grammatical features are tackled by analogy, not by analysis or the statement of rules by the tutors.
- Irregular features are treated like single items of the vocabulary.
- The relaxed atmosphere favors the learning of phonetic refinements, word building blocks, endings, word order, etc.
- There is a great amount of playful, active practice once some fluency in speaking has been achieved.
- Reading and writing are built on the oral command of the language.

All these features are equivalent to a system of learning by instinct, to a natural method of first-language input. And there are instances when a second language, too, is learned under similar conditions. Children in a bilingual country may very well grow up with two languages. Adults living and working in a foreign country learn to communicate there, often without formally studying the new language. And at school, especially when the speaking aim is given priority by native instructors, skills in pronunciation, fluency of speech and ability to understand the spoken language are obtained although—or because—the students' native tongue may be entirely banned from the classroom.

Today, with the advent of electronic sound reproduction, audiovisual self-teaching materials can be designed to meet the same objective. Home study courses by definition are private instruction. Any number of native speakers can be presented on cassettes. Real-life scenes can be recorded. Sound effects on the tapes and illustrations in the books can do away with the need for translation. A step-by-step introduction makes it much easier to absorb new grammatical points. Context and situations can make dialogues and reading pieces (almost) self-explanatory. Tapes offer the learner an unlimited opportunity to listen to the language. An increase in active student participation occurs quite spontaneously. Listening and understanding, speaking, reading and writing can be approached as mutually supportive skills. All this, quite in harmony with the natural process of growth in one's native language, may very well be a model for foreign-language learning, as long as the physical and intellectual readiness of students more advanced in age is taken into consideration.

Maximilian's Marvelous Method

Almost every person who comes to Berlitz to learn a foreign language has had some formal language instruction in high school or college. Many have studied for several years. But they still come to Berlitz to learn to speak the language. Why?

We learn to do things by doing them. At Berlitz, a student learns French by speaking French, not by speaking about French in English. This is the essence of the Berlitz Method, and the Method is why Berlitz language instruction works.

How It All Started

The Berlitz Method came about as a result of a combination of carefully developed theory and lucky circumstance. Maximilian Berlitz, born in Germany in 1852, came to the United States at the age of twenty and found work as a teacher of French and German at a theological seminary in Providence, Rhode Island. Although he was teaching by conventional methods—concentrating more on rules of grammar and translation than on conversation—he had already begun to formulate his ideas on how language really should be taught. With his analytical mind and attention to details, Berlitz was probably the first to develop a beginner's course around a planned, selected vocabulary.

With the fourfold objective of understanding, speaking, reading and writing, in that order, and with emphasis on understanding and speaking from the very beginning, Maximilian Berlitz opened his own language school in Providence in 1878. As his assistant, he hired a French immigrant named Nicholas Joly, whose knowledge of English was very limited. At Berlitz's suggestion, Joly taught French by pointing at things and naming them, and by acting out the meaning of verbs.

Shortly after Joly joined the school, Berlitz became ill and had to remain at home for several weeks. When he recovered, he found that students at the school had progressed much further than they ever had in a similar period of time under his own teaching. Joly's experiment with a practical, direct approach, necessitated by his inability to teach in English, became the proof of Berlitz's theories. Through the years, the Berlitz Method has been polished and refined, but it still contains the seeds that were planted more than one hundred years ago.

INTRODUCTION

Have you read our preface to "Think and Talk"? If not, please do, as we will now clarify the nature of this course based on *the most natural approach*, already outlined in the preface.

This course is tape oriented. That means your involvement with the recorded sound and your participation in the foreign language will become second nature, without any need for translation into your native language. The script, which also includes reading and writing exercises, remains only an auxiliary to complement your work with the drama of language—the experience of growing up in the language of your choice, regardless of your age, at whatever station in your life.

The main problem with most home study courses is *vocabulary overload*, which inhibits the student's speaking progress. Such overload stimulates the mind to translate continually rather than participate spontaneously in communication with foreigners. Our "Think and Talk" program steers away from standard lessons. Indeed, there are no lessons! Instead, there are *Scenes*, yes, live scenes that will begin to form your "Think and Talk" experience. In addition, all scenes involve your personal instructor (the male voice) to guide you as you participate. The control guide (the female voice) provides the correct responses as our stage/scene presentation unfolds.

"Think and Talk" Course Materials

Each of the four courses for Spoken French, Spanish, German and Italian combines six sixty-minute cassettes with two Student Books. Each cassette is subdivided into loosely connected Scenes of five to seven minutes' duration, clearly separated from each other on the tapes and in the book. The text of each Scene is transcribed in the Student Book and amplified by a full page of related reading and/or writing exercises.

A Preliminary Step

As a beginner, you should deal with *one Scene at a time.* To get acquainted with the program, we suggest you now listen to Scene One, which lasts approximately six minutes. This will be your opportunity to hear a foreign language with an excellent chance of understanding right away what you hear.

No conscious effort is needed. You are in harmony with the world, immersed, relaxed, but alert, ready to listen—and not concerned with anything else like spelling words, parsing sentences, translating paragraphs. Forget your native tongue, relax and *listen!* You are surrounded by sound, the sound of music and language. Become part of it, and accept your new language. Go ahead and listen to Scene One. We'll talk to you again in a few minutes. But, please, keep your book closed for now.

(Six minutes later)

This first exposure to your new language may have convinced you that listening can be a very important part of learning, and that no foreign language will remain "foreign" for long when you work with these tapes.

This Scene, like those that follow, deserves more detailed attention from you. We suggest you comply, Scene by Scene, with the following step-by-step program.

Step One: Listening

Language is Sound.

Whenever you start working on a new Scene, listen to it first without the Student Book. In this way you meet what is new to you in its original medium: sound. Get accustomed to intonation and sentence melody, to the ups and downs and rhythms of voices. Don't worry at this point about vocabulary and meaning, about spelling and grammar! Reactivate your sense of hearing so that it will work for you. By carefully listening you prepare yourself for talking. Get tuned in and listen, relaxed and receptive, as if you heard one of your favorite pieces of music.

Step Two: Listening and Understanding

Language has Meaning.

Listen again to the same Scene, although you may have come quite close to understanding it already. Keep your book open, so that you can glance at the column of pictures alongside the printed text. The sound effects, the step-by-step progression, the inner logic of dialogues, the art of the speakers and the illustrations make it easy to comprehend.

Try to visualize what is going on, but do not yet read the text. When someone is counting, for instance, visualize the numbers. When you hear a clock and you are told the word for it, accept that word as the new label for the object in question. When people greet each other, add those phrases to your memory bank, but don't bother to translate. Translation is an art and skill by itself; switching back and forth between two languages can be confusing and time-consuming, and it certainly imperils any conversational ease. Nor should you use the book as a crutch to achieve quicker and better understanding; it may be easier sometimes to comprehend a word when you see it—but this would not prepare you for a real conversation, since no one will write or type for you what he is going to say.

You will understand any single Scene when you can say to yourself: I think I know what's going on; I'm getting quite familiar with what I hear; I wonder where I can go from here?

Step Three: Repeating

Language is Speech.

Obviously, the easiest way of saying anything in a foreign tongue is to repeat what one has just heard. Therefore, listen to the same Scene once more and *repeat!* Repeat quite systematically everything you hear—a number, a couple of words, a question, the answer, a command—one such unit at a time, during the pauses left on the tape. Do not yet answer any questions on your own; just repeat them like everything else, but do speak *aloud!* You may have to push the hold or stop button once in a while, but that doesn't matter; take whatever time is needed for repetition. Your purpose right now is mainly this: to imitate, to echo what you hear. Let the new sounds sink in, think them, let them become part of yourself. They are an essential aspect of the language you are learning.

Step Four: Answering and Repeating

Language is Communication.

At first you listened for the sake of listening; in the process you became aware of the meaning of what you heard. Then you expressed everything yourself, once or twice. Now you can participate even more actively; this time do not repeat questions but reply to them *before* you hear the recorded answers. Use your imagination: pretend that all the questions on the tapes are addressed to *you*, and that *you* have to answer them. Stop the cassette player temporarily if you need the extra time—and give your answer before you hear the one on the tape; only then should you listen to the recorded answer and repeat it, even though you may have given the same correct answer before.

This is a four-step procedure:

1. you hear a question;
2. you answer it;
3. you listen to the model answer;
4. finally, you repeat the answer, loudly and clearly.

This answer-and-repeat stage should be practiced until you can keep up with the recording and do not have to stop the machine for any extra time—another built-in achievement test that tells you whether or not you are ready for the next stage. You will hear guidance control signals from your instructor—like ... "Listen!" or "Answer!" or "Repeat!"—such as any live instructor would make in the course of a lesson; these are simply reminders of what you are supposed to do.

Signals to direct your responses

English	**French**	**German**	**Italian**	**Spanish**
(Please) listen	Écoutez	Hören Sie	Ascolti	Escuche
(Please) repeat	Répétez	Wiederholen Sie,	Ripeta	Repita
(Please) repeat		bitte (or simply) Bitte		
(Please) answer	Répondez	Antworten Sie, bitte	Risponda	Conteste
Question*	Question	Frage	Una domanda	

*This signal alerts you to *answer the question.*

yes, ... give a complete affirmative reply. (full sentence)	oui, ...	ja, ...	sì, ...	sí, ...
no, ... give a complete negative reply. (full sentence)	non, ...	nein, ...	no, ...	no, ...

Step Five: Reading and Writing

Language as Sight.

Whatever you have listened to on the tape you have managed to understand. Now you will see that whatever you understood, repeated and replied to, you will be able to *read.* Listen once more to the Scene you are studying and at the same time follow the text in your book. By seeing everything in print you add a new dimension to your target language; you add sight to sound, spelling to pronunciation—another medium to support your memory. Do not search for any spelling rules at this time; you will gradually discover them in the course of more reading practice. Do not translate from the book, but simply enjoy this rather painless introduction to reading a foreign language.

Then you can test your progress by reading the same text aloud, but this time without benefit of the recording.

Writing can be practiced quite conveniently by using any section of the tape for short dictations.

Step Six: Talking Freely

Finally, you might like to check how much you can say without being prodded by tape or book. Take the initiative and say whatever comes to mind: repeat a question you remember and answer it; give affirmative or negative answers, or even both, as if you were correcting yourself. Look at it as a game; play with the words you know, and don't let your native language tell you what to say. Sustained talk for about five minutes after each Scene will be quite satisfactory, and a fifteen-minute talk at the end of each cassette will be excellent. Good luck and best wishes. And be sure it will work.

Scene-by-Scene Procedure

1. Relax and Listen!
2. Listen and Understand!
3. Listen and Repeat!
4. Answer and Repeat!
5. Read and Write!
6. Think and Talk and Talk and Talk!

CONTENTS

TAPE 2

TAPE 3

TAPE 4

TAPE 5

TAPE 6

ESCENA 11

INTRODUCCIÓN DE LA SEGUNDA CASSETTE
(¡AHORA COMENZAMOS DE VERDAD!)

Juan *No repita.*

Son las nueve. María va a la oficina **en taxi.**

María	- ¡Taxi! ... ¡Taxi! ...
	Avenida Central, por favor.

YO SOY PACO.
SOY UN PAPAGAYO.
ESTOY AQUÍ PARA
CONVERSAR EN ESPAÑOL
CON USTED. ¡VAMOS!
PACO

Juan	*Conteste*: ¿Qué es esto, un taxi o una bicicleta?
Juanita	- Es un taxi.
Juan	Muy bien. **Usted contesta** muy bien.
	Yo contesto al profesor.
	La secretaria contesta el teléfono.
	Ella contesta, él contesta, usted contesta.

MARÍA CONTESTA EL TELÉFONO.

Ahora, escuche. No repita.

María	- ¿Es **ésta** la Avenida Central?
El taxista	- Sí, señorita. Ésta es la Avenida Central. Aquí **estamos.**
María	- Gracias. ¿**Cuánto es**?
El taxista	- Son tres pesos.
María	- Tres pesos, y esto es para usted.
El taxista	- Muchas gracias, señorita.
María	- Adiós.

Juan — Esta es la cassette número dos.

Conteste: ¿Es una cassette de francés o de español?

Juanita — - Es una cassette de español.

Juan — Repita: es la cassette número dos. Es la **segunda** cassette.

Es la cassette número uno. Es **la primera** cassette.

La primera, la segunda, **la tercera.**

Conteste: ¿Qué cassette escucha usted ahora? ¿La primera, la segunda o la tercera?

- Ahora **escucho** ...

Juanita — - Ahora escucho la segunda.

Juan ¿Es **el comienzo** o **el final**

de la segunda cassette?

Juanita - Es el comienzo de la segunda cassette.

Juan El comienzo.

No es el final; es el comienzo.

Muy bien. Ahora, *escuche. No repita.*

Comienza la escena número once.

María	- Buenos días, Sr. López.
Sr. López	- Buenos días, María.

Juan *Conteste* : ¿Está María en **el taxi**?

Juanita - No, María no está en el taxi.

Juan María está en la **oficina.**

Escuche. **Aquí** viene el Sr. López.

Sr. López	- Buenos días, María.

Juan ¿Está el Sr. López en la oficina?

Juanita - Sí, el Sr. López está en la oficina.

Juan ¿**Está usted** en la oficina de María?

- No, **yo no estoy ...**

Juanita - No, yo no estoy en la oficina de María.

- No, yo no estoy en la oficina de María.

Juan	*Repita* : Yo no estoy en su oficina.
	Escuche. *No repita.*

Una mujer	- ¿Quién es el director de la oficina?
Un hombre	- Es el Sr. López.
La mujer	- ¿Y quién es el profesor?
El hombre	- El Sr. García.
La mujer	- ¡Ah!

LÓPEZ ES EL DIRECTOR DE LA OFICINA. YO SOY EL ASISTENTE.

Juan	*Conteste* : ¿Quién es el profesor?
	¿El Sr. López o el Sr. García?
Juanita	- El profesor es el Sr. García.
Juan	¿Quién es el director de la oficina?
Juanita	- El director de la oficina es el Sr. López.
Juan	¿Quién es la secretaria?
Juanita	- La secretaria es María.
Juan	... Y el estudiante es Pedro.
	Escuche. No repita.
	Ahora Pedro no está aquí.

Juanita	- ¿No está?
Juan	- No, no está.
Juanita	- ¿Dónde está?
Juan	- No sé.

FIN DE LA ESCENA 11

EJERCICIO 11

Los "Ejercicios" completan las cassettes. Las cassettes "Think and Talk" son para "Pensar y Hablar"; los Ejercicios son para estudiar y escribir.

I. ESTUDIE LOS VERBOS REGULARES: .....AR, ...ER, ...IR.

INFINITIVO:	CANTAR	COMPRENDER	ABRIR	(= contrario de "cerrar")
	yo canto	yo comprendo	yo abro	
	él canta	él comprende	él abre	
	ella canta	ella comprende	ella abre	
	usted canta	usted comprende	usted abre	

Nota: yo canto = canto; yo abro = abro; yo comprendo = comprendo; etc...

EJEMPLOS DE VERBOS REGULARES EN EL INFINITIVO:

.....AR: cant*ar*, conjug*ar*, contest*ar*, entr*ar*, escuch*ar*, estudi*ar*, explic*ar*, habl*ar*, ocup*ar*, pas*ar*, termin*ar*, visit*ar*.
.....ER: comprend*er*, aprend*er*, promet*er*, vend*er*.
.....IR: abr*ir*, asist*ir*, decid*ir*, describ*ir*, divid*ir*, escrib*ir*, repet*ir*.

II. ESCRIBA LAS CONTESTACIONES:

1. ¿Conjugo yo los verbos? – Sí, usted ____________________
2. ¿Canta usted bien? – Sí, (yo) ____________________
3. ¿Estudio yo el inglés? – No, usted no ____________________
4. ¿Comprende usted la lección? – Sí, (yo) ____________________
5. ¿Abro yo la ventana? – No, usted no ____________________

Nota: Las señales "¡*Escuche*!", "¡*Repita*!" y "¡*No repita*!" son las formas imperativas de los verbos "escuchar" y "repetir". El Imperativo es diferente del Presente de Indicativo (Cf. Ejercicio 31, el Imperativo):

PRESENTE: usted escucha, usted repite, usted no repite, etc.
IMPERATIVO: Por favor, escuche, repita, no repita, etc.

CORRECCIÓN

1– Sí, *usted conjuga* los verbos.
2– Sí, *canto* bien (Omisión frecuente del sujeto)
3– No, *usted no estudia* el inglés.
4– Sí, *comprendo* la lección.
5– No, *usted no abre* la ventana.

ESCENA 12

PEDRO ES UN ADULTO

Juan *Escuche. No repita.*

Después de la primera cassette,

pasa mucho, mucho **tiempo...**

Ahora, en la segunda cassette,

Pedro ya no es **un niño** pequeño.

Juanita - ¿Pasa mucho tiempo...? ¿Y Pedro ya no es un niño?

Juan - No, ahora Pedro es **una persona adulta.**

¡Ah, aquí viene! ¡Escúche**lo**!:

Pedro, ahora	- ¡Buenos días, Juan! ¡Buenos días, Juanita!
Juanita	- ¿Pedro? ¿Éste es Pedro?
Juan	- Sí, Juanita. Éste es Pedro. Ahora en la segunda cassette, Pedro es un adulto.

Repita: una persona adulta,

un adulto.

Un niño pequeño.

Repita: pasa mucho tiempo.

Juanita - Pasa mucho tiempo.

Juan En esta segunda cassette, Pedro ya es un adulto.

Escuche a Pedro y a María. *No repita.*

María	- ¿Pedro? ¿Es usted?
Pedro	- ¡Claro, María! ¡Soy yo!
María	- ¡Ay, cómo pasa el tiempo! Usted ya no es un niño. Ahora, usted es un adulto. Ya no es "Pedro": ahora, es "señor Pedro" o "señor don Pedro".
Pedro	- Sí, soy una persona adulta ... pero también soy estudiante. Soy adulto y estudiante. El señor García es mi profesor. Él tiene muchos estudiantes adultos.
María	- ¡Oh, sí! Muchos señores y muchas señoras **estudian** con el profesor García.

Juan ¿Quién es el estudiante?

Juanita - El estudiante es Pedro.

Juan **Pedro escribe.**

María escribe a máquina.

Conteste: ¿Es de Pedro o de María la máquina?

Juanita - La máquina es de María. *Repita.*

- La máquina es de María.

Juan ¿Quién escribe a máquina? ¿Pedro o María?

Juanita - María escribe a máquina.

FIN DE LA ESCENA 12

EJERCICIO 12

ESTUDIE LOS VERBOS IRREGULARES

SER:			**ESTAR:**		
	yo	soy		yo	estoy
	él	es		él	está
	ella	es		ella	está
	usted	es		usted	está
	ellos	son		ellos	están
	ellas	son		ellas	están
	ustedes	son		ustedes	están

EL VERBO "SER" INDICA:

1) la posesión : La máquina *es* de María.
2) el origen : El Sr. Johnson *es* de Nueva York.
3) la nacionalidad : El Sr. Tihuacán *es* mejicano.
4) la profesión : Yo *soy* profesor.
5) una característica : América *es* muy grande.
6) la hora o el día : Ahora *son* las ocho

EL VERBO "ESTAR" INDICA:

1) una situación : Madrid *está* en España. ¿Dónde está Pedro? etc.
2) un estado momentáneo : *Estoy* en mi casa. ¿Cómo *está* usted? etc.

Nota: NO CONFUNDIR EL VERBO "ESTAR"

a) con los adjetivos demostrativos (este...., esta...., estos...., estas....)

Ejemplos: *este señor* es mejicano, *esta señora* es mejicana,
estos señores son mejicanos, *estas señoras* son mejicanas.

b) con los pronombres demostrativos (éste, ésta, éstos, éstas)

Ejemplos: *éste* es mejicano, *ésta* es mejicana,
éstos son mejicanos, *éstas* son mejicanas.

ESCENA 13

HABLA EL SR. LÓPEZ

Juan *Escuche. No repita.*

Hablan el director y la secretaria.

Sr. López	- ¡María!
María	- Sí, Sr. López.
Sr. López	- ¿Está usted **ocupada**?
María	- ¡Sí, señor: escribo la carta para el Sr. Johnson!
Sr. López	- ¡Ah, sí! ¡La carta para el Sr. Johnson! Muy bien.

Juan *Conteste*: ¿Escribe María **una carta**?

Juanita - Sí, escribe una carta.

Juan ¿Escribe el Sr. López la carta?

Juanita - No, el Sr. López no escribe la carta.

Juan ¿Quién escribe la carta? ¿Pedro, el Sr. García, el Sr. López o María?

Juanita - María escribe la carta.

Juan ¿Es una carta para usted o para el Sr. Johnson?

Juanita - Es una carta para el Sr. Johnson.

Juan Ahora viene el profesor, el Sr. García.

Escuche. No repita.

Hablan el Sr. García y María:

Sr. García	- Hola, María.
María	- Hola, Sr. García.
Sr. García	- María, ¿**cómo** escribe usted **las cartas**? ¿A máquina?
María	- ¡**Claro que sí**! ¡A máquina! En la oficina **siempre** escribo a máquina.

Juan ¿Cómo escribe María?

Juanita - Escribe a máquina.

María	¿Diga?

Juan ¿Quién contesta el teléfono?

Juanita - María contesta el teléfono.

Sr. López	- María, por favor!
María	- Sí, Sr. López.

Juan ¿Quién contesta **al** Sr. López?

Juanita	- María contesta al Sr. López.
Juan	*Escuche* **al** Sr. López, y **a** María.
	No repita.

Sr. López	- María, ¿escribe usted la carta para el Sr. Johnson **en** español o **en** inglés?
María	- En español. Escribo la carta en español: el Sr. Johnson habla español. **Lo** habla muy bien.
Sr. López	- ¡Ah, sí! Él habla español.

Juan	¿En qué idioma escribe María?
Juanita	- María escribe en español.
Juan	¿Habla español el Sr. Johnson?
Juanita	- Sí, el Sr. Johnson habla español.
Juan	¿Está el Sr. Johnson en la oficina?
Juanita	- No, el Sr. Johnson no está en la oficina.
Juan	¿Están María y el Sr. López en la oficina?
Juanita	- Sí, María y el Sr. López están en la oficina.
	- Sí, María y el Sr. López están en la oficina.
Juan	*Repita*: ellos están, yo estoy, él está, ella está, usted está.
	Conteste : ¿Está usted en la oficina de María?

Juanita - No, yo no estoy en la oficina de María.

- No, yo no estoy .

Juan ¿Dónde está usted? ¿En la casa?

- Sí, estoy...

Juanita - Sí, estoy en la casa.

Juan Repita: yo estoy **en mi casa.**

Él está **en su casa;**

ella está **en su casa.**

FIN DE LA ESCENA 13

EJERCICIO 13

¡ESCRIBA! COMPLETE LAS FRASES CON LOS VERBOS

"SER":

1. Buenos Aires ________ una ciudad.
2. El Sr. García y Juan ________ profesores.
3. Este coche ________ del Sr. López.
4. Ahora ________ las nueve.

"ESTAR":

5. Yo no sé donde ________ Pedro.
6. ¿Cómo ________ usted? – Yo ________ bien, gracias.
7. El director y la secretaria ________ en la oficina.

"SER" o "ESTAR":

8. África ________ un continente muy grande.
9. La radio ________ en mi casa.
10. ¿Quién ________ este señor?
11. Yo no ________ italiano: ________ argentino.
12. Esta máquina ________ de María.

CORRECCIÓN

1. Buenos Aires *es* una ciudad.
2. El Sr. García y Juan *son* profesores.
3. Este coche *es* del Sr. López.
4. Ahora *son* las nueve.
5. Yo no sé donde *está* Pedro.
6. ¿Cómo *está* usted? – Yo *estoy* bien, gracias.
7. El director y la secretaria *están* en la oficina.
8. África *es* un continente muy grande.
9. La radio *está* en mi casa.
10. ¿Quién *es* este señor?
11. Yo no *soy* italiano: *soy* argentino.
12. Esta máquina *es* de María.

ESCENA 14

CONVERSACIONES EN LA OFICINA

Juan *Escuche* al director y a la secretaria.

No repita.

Sr. López	- María, por favor, **venga** aquí.
María	- Sí, Sr. López.
Sr. López	- Venga aquí con la carta para el Sr. Johnson.
María	- Sí, Sr. López. **Voy en seguida. En seguida.**

Juan	María **ha terminado** la carta y va en seguida. ¡No va a las seis, a las siete o a las ocho! ¡Va ahora! Va en seguida. ¡A las seis, no! ¡A las siete, no! ¡A las ocho, no! ¿Cuándo?
Juanita	- En seguida. *Repita*: en seguida.

Sr. López	- ¡Gracias **por** la carta, María!
María	- De nada, señor. Ésta es **la fotocopia.**

Juan	*Repita*: ¡Gracias por la carta! ¡Gracias por la fotocopia!

Sr. López	- Y esto es para **la computadora.**
María	- Bien.

Juan	*Repita*: la computadora.
Juan	Ahora *escuche* **otra vez** al profesor y a María. *No repita.*

Sr. García	- María, ¿está aquí mi estudiante?
María	- ¿Su estudiante?
Sr. García	- Sí, sí, Pedro Aragón, mi estudiante. ¿Está con usted?
María	- No, Sr. García. Pedro no está aquí.
Sr. García	- ¿**Que** no está? ¿Pero dónde está?
María	- No sé, pero aquí no está.
Sr. García	- ¡Caramba! **Tengo cita** con mi estudiante y no está aquí!
María	- ¡No, no está aquí!

Juan ¿Está Pedro en la oficina?

Juanita - No, Pedro no está en la oficina.

Juan Repita **la forma negativa** del **verbo:**

Él no está, ella no está, usted no está,

ellos no están.

Conteste : ¿Están **los Sres.** Fulano y Mengano

en la oficina?

- No, **ellos no están...**

Juanita - No, ellos no están en la oficina.

Juan ¿Están **las Sras.** Carmen y Teresa

en la oficina?

- No, **ellas** no están...

Juanita - No, ellas no están en la oficina.

Juan *Repita* : ellos - ellas.

FIN DE LA ESCENA 14

EJERCICIO 14

I. ESTUDIE DOS VERBOS IRREGULARES

IR:			**VENIR:**		
	yo	voy		yo	vengo
	él	va		él	viene
	ella	va		ella	viene
	usted	va		usted	viene
	ellos	van		ellos	vienen
	ellas	van		ellas	vienen
	ustedes	van		ustedes	vienen

EJEMPLOS: ¿Adónde *va* el avión? – El avión *va* a Tokio.
¿De dónde *viene* el avión? – El avión *viene* de Nueva York.

II. ESTUDIE LOS ADJETIVOS POSESIVOS:

	Singular	**Plural**
(yo)	MI, MI,	MIS, MIS
(él, ella, usted)	SU, SU,	SUS, SUS
(nosotros, nosotras)	NUESTRO, NUESTRA,	NUESTROS, NUESTRAS
(ellos, ellas, ustedes)	SU, SU,	SUS, SUS

Yo estoy en *mi coche*; yo estoy en *mi casa*; yo escucho *mis cassettes*.
Él está en *su coche*; él está en *su casa*; él escucha *sus cassettes* (plur.)
Ella está en *su coche*; ella está en *su casa*; ella escucha *sus cassettes*.
Ud. está en *su coche*; Ud. está en *su casa*; Ud. escucha *sus cassettes*.

Nosotros (o nosotras) estamos en *nuestro coche*

("coche", masculino singular ——→ "nuestro", masculino singular).

estamos en *nuestra casa*

("casa", femenino singular ——→ "nuestra", femenino singular).

estamos en *nuestros coches* (masculino plural).
estamos en *nuestras casas* (femenino plural).

Ellos (ellas, ustedes) están en *su coche* o en *su casa*, y escuchan *sus* discos y *sus* cassettes.

ESCENA 15

¿PERO DÓNDE ESTÁ PEDRO?

Juan *Escuche* otra vez al Sr. García. *No repita.*

Sr. García	- Por favor, ¿está aquí Pedro Aragón?
Un hombre en la oficina	- No, señor. No está.
Sr. García	- ¡Tengo cita **con él** y no está! ¡Ay!...

Juan El Sr. García tiene cita con Pedro.

Pedro tiene cita con el Sr. García.

El estudiante tiene cita con su profesor.

No repita.

María	- ¿Dónde tiene usted cita?
Sr. García	- Aquí, en la oficina.
María	- ¿A qué hora tiene usted cita?
Sr. García	- A las cuatro. ¿Qué hora es?
María	- ¡Son las cuatro!
Sr. García	- ¡Ay! ¡Pedro, Pedro!...

Juan	*Conteste* : Tiene usted cita con Pedro?
	- No, **yo no tengo cita ...**
Juanita	- No, yo no tengo cita con Pedro.
Juan	¿Tiene usted cita con María?
Juanita	- No, no tengo cita con María.
	- No, no tengo cita con María.
Juan	¿Tiene usted cita con el Sr. García?
Juanita	- No, no tengo cita con el Sr. García.
Juan	¿Quién tiene cita con el Sr. García?
Juanita	- Pedro tiene cita con el Sr. García.
Juan	Y ¿dónde está Pedro?
Juanita	- No sé.
Juan	*Escuche. No repita.*

Sr. García	- ¡Sr. López!
Sr. López	- ¿Sí? ¿**Qué pasa**?
Sr. García	- ¿Dónde está Pedro?
Sr. López	- ¿Pedro?
Sr. García	- Sí, Pedro Aragón, mi estudiante. ¿No está en su oficina?
Sr. López	- No, en mi oficina no está. **Lo siento.**
Sr. García	- ¿**Sabe usted** dónde está?
Sr. López	- No, no **lo** sé. ¡Ah! ¡**Llaman** a la puerta! ¡María!... **Abra** la puerta, por favor.
María	- Sí, **voy** en seguida...
Pedro	- ¡Buenos días! ¡**Aquí estoy**!
Sr. García	- ¡**Por fin**!
Pedro	- Lo siento, Sr. García. **Mi reloj se ha parado.**

Juan — Ahora, el Sr. López, María, el Sr. García y Pedro están **juntos.**

Ellos están juntos.

Están **todos juntos.**

El Sr. López, María, el Sr. García, Pedro...

¡todos! Repita: todos.

¡ESTÁN TODOS JUNTOS, EN MI CASA!

Esto es **una recapitulación.**

Repita: él está en su oficina,

ella está en su oficina,

usted está en su oficina,

yo estoy en mi oficina.

Repita: usted y yo.

Usted y yo **estamos ...**

en **nuestras oficinas.**

Repita otra vez: estamos en nuestras oficinas.

¡LA ESCENA HA TERMINADO!

Juan — ¡Y la escena **ha terminado**!

Juanita — ¡Adiós!

FIN DE LA ESCENA 15

EJERCICIO 15

I. ¡ESCRIBA! COMPLETE LAS FRASES:

1. La cassette número uno o la ________________ cassette
   (la 1ra. cassette.)
2. La lección número dos o la ________________ lección.
   (la 2da. lección.)
3. La página número tres o la ________________ página.
   (la 3ra. página.)

II. ¡ESTUDIE! sí ≠ no (CONTRARIO)

grande ≠ pequeño
fácil ≠ difícil
libre ≠ ocupado
posible ≠ imposible
mucho ≠ poco
bien ≠ mal
con ≠ sin
delante de ≠ detrás de
una pregunta ≠ una contestación
el comienzo (o: el principio) ≠ el final (o: el fin)

abrir ≠ cerrar
buscar ≠ encontrar
comenzar ≠ terminar
(o: empezar) (o: acabar)
entrar ≠ salir
ir ≠ venir
preguntar ≠ contestar
traer ≠ llevar
un señor ≠ una señora

III. ¡ESCRIBA! COMPLETE CON EL CONTRARIO DEL ADJETIVO.

1. Esta lección no es difícil: es ________________ .
2. La línea (del teléfono) no está libre: está ________________ .

CORRECCIÓN

I. 1. La cassette número uno o la *primera* cassette.
2. La lección número dos o la *segunda* lección.
3. La página número tres o la *tercera* página.

II. 1. Esta lección no es difícil: es *fácil*.
2. La línea no está libre: está *ocupada*.

ESCENA 16

POSICIONES Y SITUACIONES

Juan — *Escuche. No repita.*

Sr. García	- ¡Pedro!
Pedro	- ¿Sí, Sr. García?
Sr. García	- ¿Está **preparado**?
Pedro	- Sí, señor.
Sr. García	- Bien. ¿Tiene usted su **bolígrafo**?
Pedro	- Sí, sí, aquí **lo** tengo.
Sr. García	- Bien. ¡Entonces, para **comenzar, un ejercicio**! **Escriba** esto: "Yo estoy en mi casa" ¡Y ahora: él, ella y usted!
Pedro	- "Él está en su casa" "Ella está en su casa" "Usted está en su casa."
Sr. García	- ¡Muy bien!

Juan — *Conteste* : ¿Escribe Pedro?

Juanita — - Sí, escribe.

Juan — ¿Escribe a máquina?

Juanita — - No, no escribe a máquina.

Juan — ¿Escribe con un bolígrafo?

Juanita - Sí, escribe con un bolígrafo.

Juan *Escuche* otra vez al Sr. García y a Pedro.

No repita.

Sr. García - Continúa la recapitulación.
¡Usted y yo, **nosotros**!
"Nosotros estamos en nuestras casas."
¡Y ahora, ellos, ellas y ustedes!
Pedro - ¿Ustedes?
Sr. García - Sí, usted, usted, y usted: "ustedes", todos.
Pedro - ¡Ah, sí! ¡Ustedes!
"Ustedes están en sus casas."
"Ellos están en sus casas."
"Ellas están en sus casas."
Sr. García - ¡Perfecto!

Juan *Repita* : nosotros estamos ...

en nuestras casas.

Repita : yo tengo mi bolígrafo.

Nosotros tenemos nuestros bolígrafos.

Ellos, ellas y ustedes tienen sus bolígrafos.

Ellos tienen su dinero, sus coches y

sus casas.

Juanita - Ellos tienen su dinero, sus coches y sus casas.

Juan Ustedes están en sus casas y **hablan** español.

Conteste : ¿Tienen ustedes sus cassettes?

- Sí, nosotros tenemos nuestras ...

Juanita - Sí, nosotros tenemos nuestras cassettes.

Juan *Repita* : nuestr**o** coche, nuestr**a** bicicleta.

Nuestr**os** coches, nuestr**as** bicicletas.

Nuestro, nuestra, nuestros, nuestras.

Bueno. **Ya estamos al final** de la escena.

Repita : estamos al final.

Pedro - ¿Estamos al **comienzo** de la escena?
Sr. García - No, no, no, Pedro. Usted no escucha: no estamos al comienzo de la escena, estamos al final.
Pedro - ¿Esto es el final?
Sr. García - Sí, el final de la escena número dieciséis.
Pedro - ¿Nuestra escena número dieciséis ha terminado ya?
Sr. García - Sí, Pedro. Ha terminado. Adiós.
Pedro - Adiós, Sr. García ¡Y adiós a nuestra clase, nuestros bolígrafos y nuestras cassettes! ¡Adiós!

Juan Nuestra escena número dieciséis ha terminado.

Pedro - ¡Por fin!

FIN DE LA ESCENA 16

EJERCICIO 16

I. ESTUDIE EL PASADO DE LOS VERBOS REGULARES:

VISITAR	APRENDER	DECIDIR
yo he visit*ado*	he aprend*ido*	he decid*ido*
él (ella, usted) ha visit*ado*	ha aprend*ido*	ha decid*ido*
nosotros (o nosotras*) hemos visit*ado*	hemos aprend*ido*	...etc.
ellos (ellas, ustedes) han visit*ado*	han aprend*ido*	

EJEMPLO (con el Pasado del verbo "terminar"): Ellos *han terminado* el ejercicio 15, pero *no han terminado* el ejercicio 16.

II. ESCRIBA LAS CONTESTACIONES EN EL PASADO:

1. ¿Ha escuchado usted la escena 16?

   – Sí, yo ______________________________

2. ¿Ha contestado (usted) bien?

   – Sí, (yo) ______________________________

3. ¿Ha comprendido (usted)?

   – Sí, (yo) ______________________________

4. ¿He explicado yo el vocabulario?

   – Sí, usted ______________________________

5. ¿Han visitado ustedes el museo?

   – Sí, nosotros ______________________________

* **NOTA:** "nosotr*as*" es el femenino de "nosotros".

CORRECCIÓN

1 – Sí, yo *he escuchado* la escena 16.
2 – Sí, (yo) *he contestado* bien.
3 – Sí, *he comprendido*.
4 – Sí, usted *ha explicado* el vocabulario.
5 – Sí, nosotros *hemos visitado* el museo.

ESCENA 17

POSICIONES Y SITUACIONES (continuación)

Juan *Escuche. No repita.*

Pedro	- María, esta máquina es para **fotocopiar documentos,** ¿verdad?
María	- Sí.
Pedro	- Y esto es **una computadora,** ¿verdad?
María	- Sí. Es la computadora de la oficina.
Pedro	- ¿Y usted, María? ¿Usted escribe a máquina en esta computadora?
María	- ¡Claro que sí! Escribo a máquina en la máquina de escribir, pero también en la computadora.
Pedro	- ¿Cómo escribe?
María	- ¡Así!

Juan *Conteste* : ¿Está María en su casa o en la oficina?

Juanita -Está en la oficina.

Juan ¿Está Pedro **con ella**?

Juanita - Sí, Pedro está con ella. *Repita.*

Juan ¿Canta María en la oficina?

Juanita	- ¡No, María no canta en la oficina!
Juan	¿Escucha música o escribe a máquina?
Juanita	- Escribe a máquina.
Juan	*Repita* : María es secretaria y tiene una máquina de escribir.
Juanita	- María es secretaria y tiene una máquina de escribir.
Juan	*Repita* : una máquina de escribir. *Escuche.*

María	- Aquí, en la oficina, tengo una máquina de escribir y una computadora.
Pedro	- ¿Tiene usted una computadora en su casa también?
María	- No, en mi casa **no tengo computadora;** sólo tengo una máquina de escribir y el teléfono, claro.

Juan	En su oficina, María tiene una máquina de escribir y una computadora. En su casa, María sólo tiene una máquina de escribir.
Juan	Pero tiene también teléfono, ¿verdad? - Sí, tiene también ...
Juanita	- Sí, tiene también teléfono.

Juan — ¿Tiene ella una computadora en su casa?

Juanita — - No, ella no tiene computadora en su casa.

- No, no tiene computadora en su casa.

Juan — Pero ahora, María está en la oficina.

Está **delante de** su máquina de escribir.

Repita : Está delante de la máquina.

Delante.

María **está sentada** delante de la máquina.

Sentada.

María está sentada; Pedro **está de pie.**

¿Está el Sr. López de pie o senta**do**?

Juanita — - El Sr. López está de pie.

Juan	Él está de pie; él no está sentado.
Juan	¿Está Pedro sentado o de pie?
Juanita	- Pedro está de pie.
	Pedro y el Sr. López están de pie.
Juan	Ellos están de pie.
	Ellos no están sentad**os.**
Juan	*Conteste* : ¿Está María de pie?
Juanita	- No, María no está de pie.
Juan	¿Cómo está? ¿De pie o sentada?
Juanita	- Está sentada.
Juan	*Repita* : sentado - sentada.
Juan	De pie - de pie
Juan	María está **sentada en la silla.**
Juan	- *Repita* : la silla.

FIN DE LA ESCENA 17

EJERCICIO 17

ESTUDIE OTROS VERBOS REGULARES:

....*AR*: aceptar, adaptar, calcular, cambiar, cultivar, invitar, necesitar, ocupar, preparar, recapitular...
....*IR*: confundir, discutir, escribir, exhibir, insistir, omitir, prohibir...
....*ER*: vender, suspender...

ESTUDIE ESTOS VERBOS IRREGULARES (recapitulación):

SER	ESTAR	IR
yo soy	yo estoy	yo voy
usted es	usted está	usted va
él es	él está	él va
ella es	ella está	ella va
nosotros somos	nosotros estamos	nosotros vamos
nosotras somos	nosotras estamos	nosotras vamos
ustedes son	ustedes están	ustedes van
ellos son	ellos están	ellos van
ellas son	ellas están	ellas van

ESTUDIE UN VERBO DEL TIPO O ⟶ UE (ejemplo: contar ⟶ cuento)

CONTAR
yo cuento
usted cuenta
él cuenta
ella cuenta
nosotros contamos
nosotras contamos
ustedes cuentan
ellos cuentan
ellas cuentan

Otros verbos del tipo O ⟶ UE :
COSTAR: El disco cuesta mil pesetas.
DEMOSTRAR: El profesor demuestra una teoría.
ENCONTRAR: Yo no encuentro mi bolígrafo. ¿Dónde está?
RESOLVER: Pedro resuelve un problema de matemáticas.

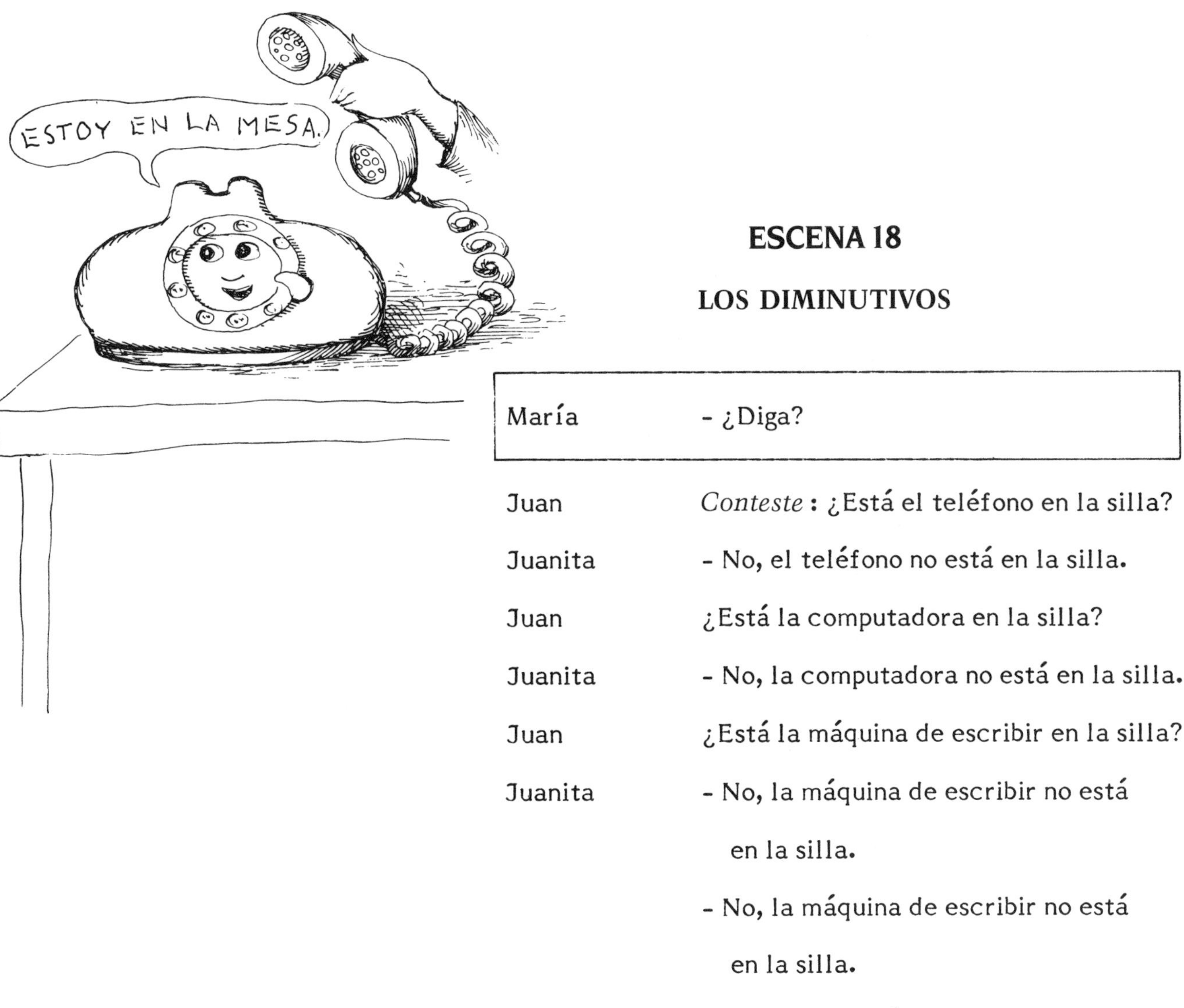

ESCENA 18

LOS DIMINUTIVOS

María	- ¿Diga?

Juan	*Conteste* : ¿Está el teléfono en la silla?
Juanita	- No, el teléfono no está en la silla.
Juan	¿Está la computadora en la silla?
Juanita	- No, la computadora no está en la silla.
Juan	¿Está la máquina de escribir en la silla?
Juanita	- No, la máquina de escribir no está en la silla.
	- No, la máquina de escribir no está en la silla.
Juan	*Conteste* : La máquina de escribir, la computadora y el teléfono,

¿dónde están? ¿en la silla o en **la mesa**?

- Están ...

Juanita - Están en la mesa.

Juan *Repita* : la mesa.

Juan Ahora, *escuche* a Pedro y a María. *No repita.*

Escuche **solamente.**

Pedro	- ¡María, **su silla** es muy pequeña!
María	- Sí, es verdad: es muy pequeña pero es **cómoda.**
Pedro	- ¿Cómoda?
María	- Sí, cómoda. **Confortable.**

Juan *Conteste* : ¿Tiene María una silla grande o pequeña?

Juanita - Tiene una silla pequeña.

María	- Sí, lo sé. Pero para mí, no es pequeña: es muy cómoda para escribir a máquina.
Pedro	- ¿Cómoda? ¿**Esa** silla es cómoda?
María	- Sí, señor. Mi silla es pequeña pero es muy cómoda para escribir a máquina.
Pedro	- ¿Ah, sí?
Sr. García	- Sí, Pedro, es verdad: la**s** silla**s** grande**s** no son cómoda**s** para escribir a máquina.
María	- ¡Ja!

Juan La silla de María no es grande.

Una silla pequeña es **una sillita.**

Juan *Repita* : una mesa pequeña es **una mesita.**

Juan *Escuche. No repita.*

Juan	- Usted se llama Juana.
Juana	- Sí. Me llamo Juana, o **Juanita.** Y usted se llama Juan.
Juan	- Sí. Me llamo Juan, o **Juanito.**

Juana, Juanita.

Una casa**, una casita.**

Un perro**, un perrito.**

Un gato**, un gatito.**

Una ventana**, una ventanita.**

Un momento**, un momentito.**

Escuche.

Pedro	- ¿**Terminamos** ahora**, ahorita**?
Sr. García	- ¡Sí, un momentito, por favor! La escena número dieciocho ha terminado.
Pedro	- ¿Ha terminado ya?
Sr. García	- Sí, ya ha terminado.
Pedro	- Entonces, **¡hasta mañana!**

Juan Adiós. Hasta mañana.

FIN DE LA ESCENA 18

EJERCICIO 18

I. ESTUDIE DOS VERBOS DEL TIPO E ⟶ IE :

CERRAR ⟶ cierro
yo cierro
usted cierra
él cierra
ella cierra
nosotros cerramos
nosotras cerramos
ustedes cierran
ellos cierran
ellas cierran

PREFERIR ⟶ prefiero
yo prefiero
usted prefiere
él prefiere
ella prefiere
nosotros preferimos
nosotras preferimos
ustedes prefieren
ellos prefieren
ellas prefieren

Otros verbos del tipo E ⟶ IE :

COMENZAR: La lección 18 comienza aquí.
EMPEZAR: La lección 18 empieza aquí.
REFERIR: El estudiante se refiere al diccionario.
GOBERNAR: Este ministro gobierna su país.
DEFENDER: El soldado defiende su posición.
SENTIR: Pedro siente no saber escribir a máquina.

II. COMPLETE LAS FRASES CON LOS VERBOS INDICADOS:

1. El Sr. Nakamura (EMPEZAR) ____________ a contestar en japonés,

   pero nosotros (PREFERIR) ____________ hablar español.

2. Yo lo (SENTIR) ________ , ¡pero la verdad es que no sé hablar japonés!

CORRECCIÓN

1. El Sr. Nakamura *empieza* a contestar en japonés,
   pero nosotros *preferimos* hablar español.
2. Yo lo *siento*, ¡pero la verdad es que no sé hablar japonés!

ESCENA 19

¿DÓNDE ESTÁ USTED?

María	- ¿Diga? Sí, ... un momentito, por favor. Un momentito.

Juan — La señorita está sentada delante de la máquina y contesta el teléfono.

El Sr. López está de pie, **detrás de** ella.

Repita : Delante, no. Detrás.

Detrás.

Conteste : ¿Está María delante de la puerta?

- No, María no está ...

Juanita — - No, María no está delante de la puerta.

Juan — *Conteste* : ¿Está delante **del** reloj?

- No, no está ...

Juanita — - No, no está delante del reloj.

Juan	¿Delante de qué está?
Juanita	- Está delante de la máquina.
Juan	Y ¿quién está detrás de ella? ¿El Sr. Johnson o el Sr. López?
Juanita	- El Sr. López está detrás de ella.
Juan	¡Sí, **eso es,** exactamente! *Conteste* : ¿Está el Sr. Johnson delante de la mesa? - No, el Sr. Johnson ...
Juanita	- No, el Sr. Johnson no está delante de la mesa.
Juan	¿Dónde está el Sr. Johnson? ¿Sabe usted?
Juanita	- No, no sé. No sé dónde está el Sr. Johnson.
Juan	*Repita* : no **lo** sé. ¡Ah! Pero usted sabe dónde está María, ¿verdad? *Conteste* : ¿Dónde está?
Juanita	- Está delante de la mesa o delante de la máquina.
Juan	*Conteste* : ¿Quién está detrás de ella?
Juanita	- El Sr. López está detrás de ella.

¡QUÉ BIEN!
ESTÁN
DELANTE DE MÍ

Juan	*Conteste* : ¿Está la mesa delante o detrás de ellos?
Juanita	- La mesa está delante de ellos.
Juan	*Repita* : delante de **mí,** delante de usted.
	- Delante de nosotros, delante de ustedes.
	Escuche. No repita.
	Es una pequeña recapitulación.

Un hombre	- La Srta. María está sentada delante de su mesita.
Una mujer	- El director de la oficina, Sr. López, está de pie, detrás de María.
El hombre	- Pedro (o **Pedrito) también está de pie. Él es estudiante. Estudia** español.

Juan	Usted también estudia español.
	Estudia con las cassettes
	pero esta escena ha terminado. ¡Adiós!

FIN DE LA ESCENA 19

EJERCICIO 19

I. ESTUDIE LA PREPOSICIÓN "A"

	(Usted va *a* Méjico)
"A" + "EL" = AL	(Usted va *al* restaurante)
"A" + "LA" = A LA	(Usted va *a la* oficina)

II. ESTUDIE LA PREPOSICIÓN "DE"

	(Usted viene *de* Nueva York)
	(Es el teléfono *de* María)
"DE" + "EL" = DEL	(Usted viene *del* hotel)
	(Es el reloj *del* profesor)
"DE" + "LA" = DE LA	(Usted viene *de la* casa)
	(Es el teléfono *de la* secretaria)

III. COMPLETE LAS FRASES CON "A", "DE", "AL", "DEL", etc...

1. El avión va de Nueva York ________ Buenos Aires.
2. El turista americano va ________ hotel.
3. La máquina está delante ____________ reloj.
4. Esta es la silla __________ María.
5. La secretaria viene __________ oficina __________ nueve.

CORRECCIÓN

1. El avión va de Nueva York a Buenos Aires.
2. El turista americano va *al* hotel.
3. La máquina está delante *del* reloj.
4. Esta es la silla *de* María.
5. La secretaria viene *a la* oficina *a las* nueve.

ESCENA 20

¡AQUÍ SE HABLA ESPAÑOL!

USTED SÓLO HABLA ESPAÑOL ¡PERO LOS PAPAGAYOS (COMO YO) HABLAN TODOS LOS IDIOMAS!

La mujer	- El Sr. García es profesor de español.
Juan	Yo también soy profesor de español.
	El Sr. García y yo **somos** profesor**es.**
Pedro y **otros estudiantes** (juntos)	- ¡Pero nosotros somos estudiant**es!**

Juan	*Repitan:* Somos estudiantes.
	Contesten: ¿Son ustedes estudiantes de español o de francés?
	- Nosotros somos ...
Juanita	- Nosotros somos estudiantes de español.
Juan	*Escuche.*

Sr. García y Juan (juntos)	- Y nosotros somos profesores.
Una señorita	- ¿Profesores? ¡Ah! "Do you teach English?" ¿Son ustedes profesores **de** inglés?
Sr. García y Juan (juntos)	- No, no, no, señorita...
Sr. García	- No somos profesores de inglés; somos profesores de español. En la escuela siempre **hablamos** español.
Juan	- Y en las cassettes también, siempre hablamos español con nuestros estudiantes.

Juan y Sr. García (juntos)	¿Somos nosotros profesores? *Conteste*:
	- Sí, ustedes son ...
Juanita	- Sí, ustedes son profesores. *Repita.*
	- Sí, ustedes son profesores.
Juan y Sr. García (juntos)	¿Somos nosotros profesores de italiano?
	- No, ustedes no son ...

Juanita - No ustedes no son profesores de italiano.

- No, ustedes no son profesores de italiano.

Juan y Sr. García (juntos) ¿Hablamos nosotros inglés en la escuela?

- No ustedes no hablan ...

Juanita - No, ustedes no hablan inglés

en la escuela. *Repita.*

- No, ustedes no hablan inglés en la escuela.

Juan y Sr. García (juntos) - ¿**Qué idioma** hablamos?

- Ustedes hablan ...

Juanita - Ustedes hablan español. *Repita.*

- Hablan español.

FIN DE LA ESCENA 20

EJERCICIO 20

I. ESTUDIE ESTOS VERBOS IRREGULARES (yo .....go):

HACER	TENER	TRAER	VENIR	DECIR
yo **hago**	**tengo**	**traigo**	**vengo**	**digo**
él (ella, Ud.) hace	tiene	trae	viene	dice
nosotros (nosotras) hacemos	tenemos	traemos	venimos	decimos
ellos (ellas, ustedes) hacen	tienen	traen	vienen	dicen

Ejemplo: Cuando *vengo* a la oficina, *digo* buenos días a la secretaria.

II. COMPLETE CON LOS VERBOS INDICADOS:

1. Nosotros (hacer) ________________ los ejercicios en el libro.
2. Yo (hacer) ___________ un error.
3. El profesor (tener) _____________ mucha paciencia.
4. Yo soy italiano; (venir) ___________ de Roma.
5. ¿Qué (decir) __________ usted?
6. Pedro y Alberto no (traer) ____________ bolígrafos.

CORRECCIÓN

1. Nosotros *hacemos* los ejercicios en el libro.
2. Yo *hago* un error.
3. El profesor *tiene* mucha paciencia.
4. Yo soy italiano; *vengo* de Roma.
5. ¿Qué *dice* usted?
6. Pedro y Alberto *no traen* bolígrafos.

ESCENA 21

¿HA ENCONTRADO USTED LA CARTA?

Juan	Nosotros **siempre** hablamos español
	con nuestros estudiantes.
	Y en la oficina también, María y
	el Sr. López siempre hablan español.
	Escuche ahora al Sr. López y a María.

Sr. López	- ¡María!
María	- ¿Sí, señor López?
Sr. López	- ¿Ha terminado la carta para el Sr. Johnson?
María	- Sí, señor.
Sr. López	- ¿Dónde está?
María	- La carta está en la mesa, Sr. López, cerca del teléfono.

Juan — El Sr. López **busca** la carta.

Busca y busca y busca ...

pero no encuentra la carta.

Repita: El Sr. López no encuentra la carta.

María - Delante de usted.
Sr. López - ¿Delante de **mí?**
María - ¡Aquí, Sr. López, con **la correspondencia**!
Sr. López - ¡Ah! Sí. Gracias, María.
María - De nada, señor.

Juan — *Repita*: El Sr. López **ha encontrado** la carta.

¿Dónde está la carta?

¿Delante de él o detrás de él?

Juanita - La carta está delante de él. *Repita.*

- La carta está delante de él.

Juan — ¡Sí, claro! *Escuche. No repita.*

Sr. López - Un bolígrafo, por favor.
María - Aquí **lo** tiene, señor.
Sr. López - Gracias. Y **papel** para escribir, por favor.
María - El papel está en la mesa, señor: aquí lo tiene.
Sr. López - ¡Ah! Sí, gracias.
"**Estimado** señor,
Contesto a su carta del día 4 ...

Juan	*Repita* : el señor tiene un bolígrafo.
	Tiene un bolígrafo y papel para escribir.
	Conteste : ¿Escribe a máquina?
Juanita	- No, no escribe a máquina. *Repita.*
Juan	*Conteste* : ¿Escribe con un bolígrafo?
Juanita	- Sí, escribe con un bolígrafo.
Juan	¿Escribe **en** el papel?
Juanita	- Sí, escribe en el papel.
Juan	*Escuche. No repita.*

Pedro	- El señor López escribe.
Sr. García	- ¿**En qué** escribe?
Pedro	- En un papel.
Sr. García	- ¿Con qué?
Pedro	- Con un bolígrafo.

Juan	*Repita* : papel - papel**es**
	bolígrafo - bolígrafo**s**
	máquina - máquina**s**
	Conteste: ¿Escribe María con un bolígrafo?
Juanita	- No, ella no escribe con un bolígrafo.
Juan	¿Qué hace María?
	¿Escribe a máquina?

Juanita	- Sí, escribe a máquina.
Juan	*Repita* : ¿Qué hace María?
	Ahora *Conteste*: ¿Qué hace Pedro?
Juanita	- Pedro canta.
Sr. Miller	- "I speak English!"
Juan	¿Qué hace el Sr. Miller?
Juanita	- Habla inglés.
Juan	¡Pero nosotros, no!
	¡Nosotros siempre hablamos español!

FIN DE LA ESCENA 21

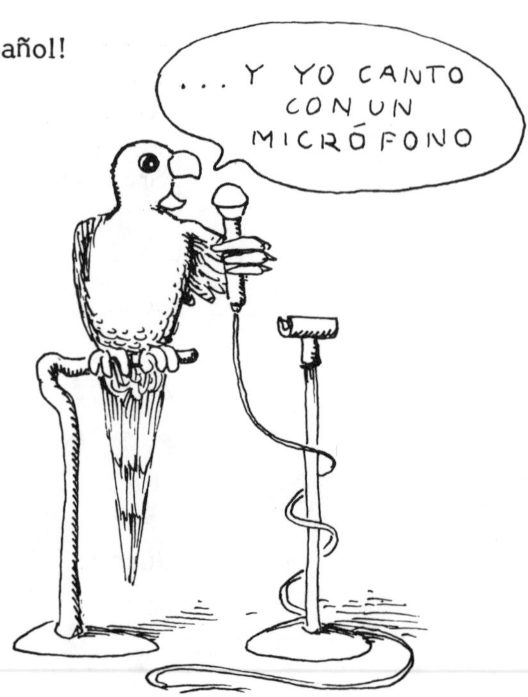
. . . Y YO CANTO CON UN MICRÓFONO

EJERCICIO 21

I. ESTUDIE EL ADJETIVO (masculino o femenino, singular o plural)

– El EJERCICIO ES *PERFECTO*
(“*el* ejercicio”, masc. sing. ⟶ “perfect*o*”, masc. sing.)

– LA CONTESTACIÓN ES *PERFECTA*
(“*la* contestación”, fem. sing. ⟶ “perfect*a*”, fem. sing.)

– LOS EJERCICIOS SON *PERFECTOS*
(“*los* ejercicios”, masc. plur. ⟶ “perfect*os*”, masc. plur.)

– LAS CONTESTACIONES SON *PERFECTAS*
(“*las* contestaciones”, fem. plur. ⟶ “perfect*as*”, fem. plur.)

II. ESTUDIE LOS ADVERBIOS

exacto: *exactamente*
(exact*a*, exactos, exactas)
correcto: correct*amente*
(correct*a*, etc.)
perfecto: perfect*amente*
(perfect*a*, etc.)
típico: típic*amente*
claro: clar*amente*
rápido: rápid*amente*
lento: lent*amente*
científico: científic*amente*
fantástico: fantástic*amente*
maravilloso: maravillos*amente*

horrible: horrible*mente*
probable: probable*mente*
terrible: terrible*mente*
general: general*mente*
excepcional: excepcional*mente*
tradicional: tradicional*mente*
fácil: facil*mente*
cortés: cortés*mente* (con cortesía)
paciente: paciente*mente* (con paciencia)
frecuente: frecuente*mente* (con frecuencia)
atento: atent*amente* (con atención)
EXCEPCIONES: bueno: *bien*
malo: *mal* (o: mal*amente*)

Ejemplos: Este estudiante es m*aravilloso*: contesta *maravillosamente*.
Estos estudiantes son muy *atentos*: escuchan muy *atentamente*.

III. COMPLETE CON EL ADVERBIO CORRESPONDIENTE AL ADJETIVO:

¡La canción es magnífica pero Pedro no canta ______________________

CORRECCIÓN

¡La canción es magnífica pero Pedro no canta *magníficamente*!

MIS CONTESTACIONES
SON CORRECTAS.
¿TIENE USTED
UNA PREGUNTA?

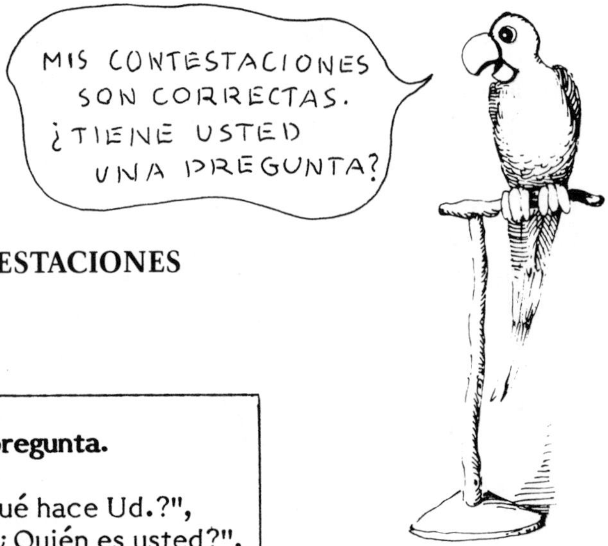

ESCENA 22

LAS PREGUNTAS Y LAS CONTESTACIONES

Juan — *No repita.*

Sr. García	- "¿Qué hace?" es **una pregunta.**
Pedro	- ¿Una pregunta?
Sr. García	- Sí, una pregunta. "¿Qué hace Ud.?", "¿Dónde está Ud.?", "¿Quién es usted?", "¿Qué hora es?", **etc.** son **preguntas.** Pedro, ¿sabe usted **las contestaciones** a las preguntas?
Pedro	- ¿Las contestaciones?
Sr. García	- Sí, las contestaciones a las preguntas.
Pedro	- ¡Ah! Sí. Las contestaciones son: "Yo hablo español", "Estoy en la clase de la escuela", "Soy Pedro", y "Ahora son las diez". **Éstas** son las contestaciones!
Sr. García	- Muy bien, Pedro: **sus** contestacion**es** son correct**as.**

Juan — *Repita* : una pregunta y una contestación.

Repita las preguntas:

¿Qué hace usted? ¿Qué **hago** yo?

Ahora *conteste* mi pregunta:

¿Hago yo las preguntas en inglés o en español?

- Usted hace las preguntas ...

Juanita - Usted hace las preguntas en español.

- Usted hace las preguntas en español.

Juan *Conteste*: ¿Hace usted los **ejercicios** del libro?

- Sí, yo hago los ejercicios ...

Juanita - Sí, yo hago los ejercicios del libro. *Repita.*

- Sí, hago los ejercicios del libro.

Juan *Repita* : yo hago, usted hace, nosotros **hacemos,** ustedes **hacen.**

Escuche **lo que** hace Pedro.

¡POR FAVOR, PÁRESE DE CANTAR!

Pedro	- "Adiós muchachos compañeros de mi vida, ..."
María	- Pedro, ¿Qué hace usted?
Pedro	- ¡Canto una canción, María! ¡Es **un tango**! ¡Un tango **argentino**! ¿No me escucha usted?
María	- ¡Sí, sí, lo escucho muy bien! ¡Demasiado bien! Pedro, por favor, ¡**párese de cantar!** Tengo que escribir esta carta.
Pedro	- ¡Oh! Perdón, María.
María	- Es una carta **larga,** muy larga...
Pedro	- ¡Pero usted escribe muy rápidamente!
María	- Es que soy secretaria, Pedro.
Pedro	- Sí, lo sé. ¡Pero cómo escribe! ¡Lo hace **tan rápidamente**!
María	- Lo hago rápidamente porque soy secretaria y tengo **mucha práctica.**

Juan *Repita* : ella escribe rápidamente ...

porque tiene mucha práctica.

Juan Ahora *no repita.*

Pedro	- Yo no. No escribo rápidamente.
María	- ¿No?
Pedro	- No. Escribo lentamente. Muy lentamente.

Juan *Conteste* a la pregunta: Ahora, ¿quién escribe a máquina? ¿Pedro o María?

Juanita - Ahora María escribe a máquina.

Juan Y ahora, ¿quién escribe a máquina?

Juanita - Ahora Pedro escribe a máquina.

Juan Sí, ahora es Pedro.

Conteste : ¿Quién escribe rápidamente?

¿Pedro o María?

Juanita - María escribe rápidamente.

Juan ¿Y quién escribe lentamente?

Juanita - Pedro escribe lentamente.

Juan ¡Bueno!

La escena número veintidós ha terminado.

¡Adiós!

Juanita - ¡Hasta mañana!

Juan ¡Pare la cassette!

FIN DE LA ESCENA 22

EJERCICIO 22

I. ESTUDIE ESTOS VERBOS IRREGULARES (yo .....zco):

DESAPARECER	OBEDECER	RECONOCER
yo desaparezco	**obedezco**	**reconozco**
usted (él, ella) desaparece	obedece	reconoce
nosotros, nosotras desaparecemos	obedecemos	reconocemos
ustedes (ellos, ellas) desaparecen	obedecen	reconocen

PRODUCIR	CONDUCIR	TRADUCIR
yo produzco	**conduzco**	**traduzco**
usted (él, ella) produce	conduce	traduce
nosotros, nosotras producimos	conducimos	traducimos
ustedes (ellos, ellas) producen	conducen	traducen

II. COMPLETE CON LOS VERBOS INDICADOS:

1. El buen estudiante (OBEDECER) ____________________ a su profesor.
2. El actor (APARECER) ____________________ en el escenario del teatro.
3. Yo no (RECONOCER) ____________________ a este actor. ¿Quién es?
4. Yo (CONDUCIR) ____________________ el coche de mi amigo Jorge.
5. Nosotros no (TRADUCIR) ____________________ el texto al inglés.
6. Esta máquina (PRODUCIR) ____________________ fotocopias.

CORRECCIÓN

1. El buen estudiante *obedece* a su profesor.
2. El actor *aparece* en el escenario del teatro.
3. Yo *no reconozco* a este actor. ¿Quién es?
4. Yo *conduzco* el coche de mi amigo Jorge.
5. Nosotros *no traducimos* el texto al inglés.
6. Esta máquina *produce* fotocopias.

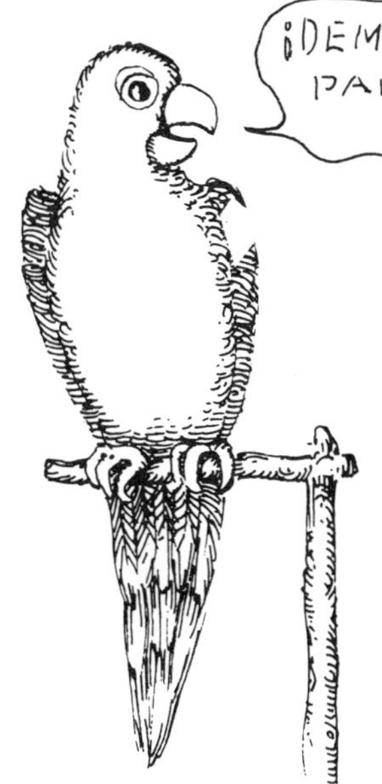

¡DEMASIADO LENTAMENTE
PARA MÍ! YO REPITO
MUY RÁPIDAMENTE.

ESCENA 23

¡HABLE RAPIDAMENTE O DESPACIO (lentamente),

PERO HABLE BIEN!

Juan	- ¡Hola! ¡Buenos días, amigos! ¡Buenos días, amigas!

Conteste :

¿Hablo yo rápidamente o lentamente?

Juanita - Usted habla lentamente.

Juan ¿Muy lentamente?

Juanita - Sí, muy lentamente.

Juan Muy, muy, muy lentamente:

¡**demasiado** lentamente!

Repita : muy lentamente, demasiado lentamente.

Pedro	- ¡Uno, dos, tres, cuatro, cinco, seis, siete, ocho, nueve, diez!

Juan *Conteste* : ¿Cómo cuenta Pedro?

Juanita	- Cuenta rápidamente.
Juan	¿Muy rápidamente?
Juanita	- Sí, muy rápidamente.
Juan	¿Es demasiado **rápido** para Ud.?
Juanita	- Sí, es demasiado rápido para mí.
Juan	*Escuche***lo:**

Pedro	- ¡**Rápido**! Así: ¡1, 2, 3, 4, 5, 6, 7, 8, 9, 10!
María	- ¡Pedro!
Pedro	- ¡Ah! ¡Sí! "Pedro": P - E - D - R - O. "Pedro". ¡Soy yo!
María	- Ud. cuenta rápidamente, Pedro ... pero escribe a máquina muy lentamente.
Pedro	- ¡Sí, porque yo no soy secretar**io**! No tengo mucha práctica.
María	- Escuche cómo escribo yo. "María": M - A - R - Í - A.
Pedro	- ¡Ah! ¡Eso es fantástico! ¡Escribe tan rápidamente!
Un hombre en la oficina	- ¡Esta secretaria es fantástica!
Otro hombre en la oficina	- ¡Sí, es fantástica! ¡Es **verdaderamente fantástica**!
El prim**ero**	- ¿**Cómo se llama**?
El segundo	- **Se llama** María, María Fernández.

Juan	*Repita* : La secretaria se llama María.
	El estudiante se llama Pedro.
	Repita : Él se llama Pedro y ella se llama María.

Pedro	- Buenos días, Sr. García.

Juan *Conteste*: ¿Cómo se llama el profesor?

Juanita - El profesor se llama García.

Juan *Escuche. No repita.*

Una estudiante	- ¡Hola! ¿Quién es Ud.?
Sr. García	- ¿Yo? Pero ... ¡yo soy el profesor!
La estudiante	- ¡Oh! Perdón, señor.
Sr. García	- Está bien.
La estudiante	- ¿Es Ud. el Sr. Gutiérrez?
Sr. García	- No, yo **me llamo** García. ¿Y Ud., señorita? ¿Usted, quién es? ¿Cómo se llama?
La estudiante	- Yo soy estudiante y me llamo Isabel. Isabel Ortiz.
Sr. García	- **Mucho gusto,** Srta. Ortiz.
La estudiante	- **Mucho gusto,** profesor.

Juan *Conteste*: ¿Y Ud.? ¿Cómo se llama Ud.?

- Yo me llamo ....

¡Ah! Muy bien.

Ahora *repita* la pregunta: ¿Cómo se llama Ud.?

Repita: yo me llamo, usted se llama, él se llama, ella se llama.

El loro	... ¡Y yo me llamo Paco!

FIN DE LA ESCENA 23

EJERCICIO 23

I. ESTUDIE LOS NÚMEROS:

5: cinco
15: quince
50: cincuenta
51: cincuenta y uno
52: cincuenta y dos
53: cincuenta y tres

6: seis
16: dieciséis
60: sesenta
61: sesenta y uno
62: sesenta y dos
63: sesenta y tres

7: siete
17. diecisiete
70: setenta
71: setenta y uno
72: setenta y dos
73: setenta y tres

8: ocho
80: ochenta
81: ochenta y uno
82: ochenta y dos
83: ochenta y tres

9: nueve
90: noventa
91: noventa y uno
92: noventa y dos
93: noventa y tres

10: diez
100: cien
101: ciento uno
102: ciento dos
103: ciento tres

200: doscientos
201: doscientos uno
210: doscientos diez
215: doscientos quince
216: doscientos dieciséis
220: doscientos veinte

300: trescientos
400: cuatrocientos
500: quinientos
600: seiscientos
700: setecientos
800: ochocientos
900: novecientos

1000: mil
1030: mil treinta
1900: mil novecientos
1989: mil novecientos ochenta y nueve

2000: dos mil
10 000: diez mil
70 000: setenta mil
100 000: cien mil
200 000: dos cientos mil
1 000 000: un millón

II. EJERCICIO ORAL:

Cuente oralmente *de* 150 *hasta* 200 (de 150 a 200.)

CORRECCIÓN

„Ciento cincuenta, ciento cincuenta y uno, ciento cincuenta y dos, ciento cincuenta y tres, etc. (... doscientos.")

ESCENA 24

¿CÓMO SE LLAMA USTED?

Juan — *Escuche.*

Juanita — - ¿Cómo se llama usted?

Juan — Me llamo Juan. ¿Y usted? ¿Cómo se llama?

Juanita — - Me llamo Juanita.

Pedro	- Yo me llamo Pedro. Pedro Aragón. "Pedro" es mi **nombre.** "Aragón" es mi **apellido.**
María	- Yo me llamo María Fernández. "María" es mi nombre. "Fernández" es mi apellido. Está **escrito** aquí, en mi **pasaporte.**
Pedro	- ¡Ah, sí! Aquí está ... con su **foto de identidad.**

Juan — *Repita*: el nombre.

El apellido.

El apellido de María es "Fernández".

El apellido de Pedro es "Aragón".

Ahora *conteste*: Pedro, María, Jorge, Carmen, Emilio,

... ¿Qué son? ¿Nombr**es** o apelli**dos**? - Son ...

Juanita - Son nombres.

Juan *Escuche.*

Pedro - El apellido "Duval" es un apellido francés.
"Donati" es un apellido italiano.
"Jones" es un apellido inglés o americano.
"Schmidt" es un apellido alemán.

María - Pero usted, Pedro, tiene un apellido muy español: "Aragón" es muy español.

Pedro - Es verdad. Y usted también María, tiene un apellido español: hay muchos "Fernández" en España y en **Hispanoamérica** también.

Juan *Repita* : Hispanoamérica y España.

Hispanoamericano y español.

Conteste : ¿Tienen Pedro y María apellidos ingleses o **hispanos**?

- **Ellos tienen ...**

Juanita - Ellos tienen apellidos hispanos.

Juan *Repita* : Ellos son españoles y tienen apellidos españoles.

Repita **el verbo "tener":** yo tengo, usted tiene, él tiene, ella tiene,

ellos tienen, ellas tienen,

usted y usted y usted: **ustedes tienen.**

Esto es el verbo "tener".

Ahora, **el verbo "ser"**:

Yo soy español y usted, Juanita, es española.

Juanita - Sí, yo soy española y usted, Juan, es español.

Juan Él es, ella es ...

Y ahora el verbo "estar":

Yo estoy en Méjico, Ud. está en Méjico,

él está, ella está,

ellos están, ellas están,

ustedes están.

Escuche. No repita..

Isabel Ortiz (**una estudiante**)	- El profesor se llama García, pero no sé **cuál** es su nombre: ¿Antonio García? ¿Manuel García? ¿Enrique o Emilio? ... No lo sé.
Otra estudiante	- ¡**Pregunte** a la secretaria!

Juan Ahora **la estudiante pregunta** a María:

Isabel Ortiz -	Por favor, señorita. Sé que el apellido de nuestro profesor es García, pero ¿cuál es su nombre?
María	- Su nombre es Sancho. El profesor se llama Sancho García.
Isabel Ortiz	- Gracias, señorita.
María	- De nada.
Isabel Ortiz	- ¡Se llama Sancho!

TENGO UN PASAPORTE MEJICANO.
SOY MEJICANO.
¡CLARO QUE SÍ!
PASAPORTE

La otra estudiante	- ¿**De verdad**?
Isabel Ortiz	- Sí.
La otra estudiante	- ¡Ay! ¡Qué nombre!

Juan *Conteste* : ¿Cuál es el nombre del Sr. García?

Juanita - El nombre del Sr. García es Sancho.

Juan *Repita*: su nombre es Sancho.

Conteste: ¿Cuál es su apellido?

Juanita - Su apellido es García.

FIN DE LA ESCENA 24

TODOS TIENEN NOMBRES ESPAÑOLES. ¡VIVA ESPAÑA!
PASAPORTE
¡VIVA HISPANOAMÉRICA!

EJERCICIO 24

I. ESTUDIE LOS VERBOS REFLEXIVOS:

LLAMARse	IRse	PONERse (por ejemplo: ponerse de pie)
yo me llamo	**me voy**	**me pongo**
usted se llama	se va	se pone
él se llama	se va	se pone
ella se llama	se va	se pone
nosotros nos llamamos	nos vamos	nos ponemos
nosotras nos llamamos	nos vamos	nos ponemos
ustedes se llaman	se van	se ponen
ellos se llaman	se van	se ponen
ellas se llaman	se van	se ponen

EJEMPLOS:

Estas señoritas se llaman Luisa y Patricia.
Nosotros nos vamos a las seis.
(Nosotros) *Nos vamos* a las seis.
Después de la lección, *yo me voy* a mi casa.
(Yo) *Me voy* a mi casa.
Para escribir la carta, *María se pone* delante de la máquina.

EJEMPLOS EN LA FORMA NEGATIVA:

¡*Yo no me llamo* Cristóbal Colón!
¡(Yo) *No me llamo* Cristóbal Colón!
Usted no se va a Italia para estudiar el español.
(Usted) *No se va* a Italia para estudiar el español.
Nosotros no nos ponemos de pie en el coche.
(Nosotros) *No nos ponemos* de pie en el coche.

OTROS VERBOS REFLEXIVOS (regulares o irregulares):

LEVANTARse (= ponerse de pie): Después de la lección, los estudiantes *se levantan* y se van.
DIV*E*RTIRse (tipo E → *IE*): *Yo me divierto* mucho en las fiestas españolas.
S*E*NTARse (tipo E → *IE*): *María se sienta* en la silla.

II. EJERCICIO ORAL: Conjugue oralmente dos o tres verbos reflexivos.

ESCENA 25

HACEMOS MUCHOS PROGRESOS

Juan *Escuche. No repita.*

Pedro	- ¡Bueno! Estoy sentado delante de la máquina de escribir, y escribo el nombre del profesor: S - A - N - CH - O. **La letra C** y **la letra H** están **juntas,** ¿verdad, María?
María	- Sí, la letra C y la letra H están juntas. **Forman la letra CH.**
Pedro	- Sí, **la letra L** y otra letra L forman **la letra LL: por ejemplo,** en "silla", "ella", "apellido", etc.
María	- Sí, la letra LL es una letra **doble.** ¡Pero usted siempre escribe **tan** lentamente, Pedro!
Pedro	- Sí, lo sé, lo sé. Ahora, escribo el apellido de mi profesor: García, G - A - R - S ...
María	- No, no, no: no es con **una S,** es con **una C.** G - A - R - C - Í - A. ¡En Madrid, no es "Garsía", es "García"!
Pedro	- ¡Ah! Sí, en Madrid, "García". ¡Pero aquí, García!
María	- Sí, claro: García también es correcto.

Juan	*Repita* **el alfabeto en español:**
	A - B - C - CH - D ...
	E - F - G - H - I ...
	J - K - L - LL ...
	M - N - Ñ ...
	O - P - Q - R ...
	S - T - U - V - W ...
	X - Y - Z.
	Conteste: ¿Sabe usted el alfabeto? - Sí, yo sé ...
Juanita	- Sí, yo sé el alfabeto.
Juan	*Escuche. No repita.* Usted sabe el alfabeto.
	¿Y Pedro? Ahora, el profesor pregunta **si**
	Pedro sabe el alfabeto:

Sr. García	- Pedro, ¿sabe usted el alfabeto?
Pedro	- ¿En español?
Sr. García	- ¡Claro, en español! ¿Lo sabe?
Pedro	- Sí, lo sé: A - B - C ...
Sr. García	- Después de la C viene la CH.
Pedro	- ¡Ah! Sí, A - B - C - CH - D - E - F -- G - H - I - J - K - L ... ¿Después de la L?
Sr. García	- Después de la L viene la LL.
Pedro	- ¡Ah! Sí, LL. M - N - Ñ - O - P - Q -- R - S - T - U - V ...
Sr. García	- W.
Pedro	- ¡Ah, sí! W - X - Y - Z.

Juan — *Conteste*: Pedro sabe el alfabeto, ¿no?

Juanita — - Sí, Pedro sabe el alfabeto.

- Sí, sabe las letras **del** alfabeto.

Juan — *Repita*: Él sabe **cuáles** son las letras.

Juanita — - Él sabe cuáles son las letras.

Juan — *Escuche.*

Sr. García	- ¡Estupendo! Ud. ya sabe muchas **cosas,** Pedro: sabe cuáles son las letras del alfabeto, sabe **hablar** y escribir en español, sabe **contar** en español: 1, 2, 3 4, 5, **etc., etc. ...**
Pedro	- Gracias, es usted muy **amable,** profesor, pero todavía no sé escribir a máquina. Soy demasiado **lento.**
Sr. García	- Con **el tiempo,** Pedro ...
María	- ¡Claro! Con **el tiempo** y con práctica, **poco a poco ...**

Juan *Repita* : yo sé, usted sabe,

él sabe, ella sabe,

ellos saben, **ellas saben,**

ustedes saben.

Juan *Escuche.*

Pedro	- Entonces, usted y yo sabemos el alfabeto.
María	- Sí, nosotros sabemos el alfabeto.
Pedro	- Sabemos contar y **sabemos** contestar las preguntas. ¡Pero escribir a máquina, sólo usted, María! ¡Yo no!

Juan *Repita* : nosotros sabemos contestar.

Y usted también, Sr., Sra. o Srta.,

usted también sabe contestar.

Lo hace muy bien.

Pedro	- ¡Es **verdaderamente** fantástico! **Hacemos muchos progresos.**

Juan Bueno. ¡**Ya está**! La escena número

veinticinco ha terminado.

FIN DE LA ESCENA 25

EJERCICIO 25

I. UNA MODIFICACIÓN DEL ADJETIVO MASCULINO SINGULAR:

Un estudiante *bueno* → Un *buen* estudiante
Un libro bueno → Un buen libro
Un coche bueno → Un buen coche

El ejercicio *tercero* → El *tercer* ejercicio
...

II. COMPLETE CON LOS VERBOS REFLEXIVOS INDICADOS:

1. El estudiante (LLAMARSE) ____________________ Pedro Aragón.
2. Pedro (LEVANTARSE) ____________________ a las siete para ir a la escuela.
3. Nosotros (IRSE) ____________________ a Buenos Aires en avión.
4. Pedro y sus amigos van al cine, al teatro, al museo: ellos

   (DIVERTIRSE) ____________________ mucho.
5. Yo (SENTARSE) ____________________ en el sofá.
6. ¡Yo (SENTARSE, negativo) ____________________ en la mesa!

CORRECCIÓN

1. El estudiante *se llama* Pedro Aragón.
2. Pedro *se levanta* a las siete para ir a la escuela.
3. Nosotros *nos vamos* a Buenos Aires en avión.
4. Pedro y sus amigos van al cine, al teatro, al museo: ellos *se divierten* mucho.
5. Yo *me siento* en el sofá.
6. ¡Yo *no me siento* en la mesa!

ESCENA 26

¡BUEN FIN DE SEMANA!

Sr. López	- Son las seis, María. Adiós.
María	- Adiós, **buenas noches**, Sr. López.

Juan ¡Buenas noches!

¡Buenos días!

Escuche.

Sr. López	- Buenas noches, y ... **buen** fin de **semana.**
María	- Buen fin de semana, Sr. López.
Pedro	- Adiós, María.
María	- Adiós, Pedro. ¡Que **pase** un buen fin de semana!
Sr. García	- Buenas noches. ¡Que **pasen** todos un buen fin de semana!

Juan *Repita*: el final de la semana o

el fin de semana.

El fin de semana es **el sábado** y

el domingo.

Repita: el sábado.

El domingo.

Conteste: ¿Va María a la oficina el domingo?

- No, María no va ...

Juanita - No, María no va a la oficina el domingo.

Juan *No repita.*

María	- ¡Ah! El domingo es fantástico: no **voy** a la oficina, no contesto el teléfono, no escribo a máquina, ... El domingo, yo no **trabajo.**

Juan María no **trabaja** el domingo.

No repita.

Pedro	- Para mí también, el domingo es fantástico: no voy a **la escuela,** no **escribo,** no **hago** los ejercicios del libro: el domingo, no trabajo. Y el Sr. García no está aquí. ¡No viene a mi casa para **hacer** preguntas!

Juan — *Repita*: Pedro no trabaja el domingo.

Juanita — - Pedro no trabaja el domingo.

Juan — *Escuche* a Pedro otra vez.

Pedro	- El domingo, estoy aquí, en mi casa. Y estoy muy bien, porque mi casa es confortable. Mi casa es cómoda.

Juan — *Conteste*: el domingo, ¿está Pedro en su casa o en la escuela?

Juanita — - El domingo, Pedro está en su casa.

Juan — ¿Trabaja Pedro el domingo?

Juanita — - No, Pedro no trabaja el domingo.

Juan — *Escuche.*

Pedro	- ¡Y el Sr. García no está! Él no viene aquí y no va a la escuela: no trabaja el domingo.

Juan — *Conteste*: ¿Trabaja el Sr. García el domingo?

Juanita — - No, el Sr. García no trabaja el domingo.

Juan	Es la televisión.
	Pedro **mira** la televisión.
	Pedro escucha y mira la televisión.
	Conteste: ¿Mira Pedro la computadora?
	- No, él no mira ...
Juanita	- No, él no mira la computadora. *Repita.*
	- No, no mira la computadora.
Juan	*Conteste* : ¿Mira Pedro el reloj?
	- No, no mira ...
Juanita	- No, no mira el reloj. *Repita.*
Juan	*Conteste*: ¿Qué mira?
Juanita	- Mira la televisión.
Juan	*Repita*: mira **un filme, una película.**
	Una película.

Pedro	- ¡Y **después de** la película, **miro un partido** de **fútbol**!

¡YO TAMBIÉN
SOY AFICIONADO
AL FÚTBOL!

FIN DE LA ESCENA 26

EJERCICIO 26

I. ESTUDIE EL VERBO IRREGULAR "SABER":

yo sé	nosotros (nosotras) sabemos
usted (él, ella) sabe	ustedes (ellos, ellas) saben

II. ESTUDIE LA FORMA FAMILIAR DE "USTED" : TÚ

El "tú" es muy frecuente y muy popular en español, para los padres, la familia, los buenos amigos, los amigos íntimos, etc.

Pedro	– Papá, ¿Cómo canto yo, bien o mal?
El padre de Pedro	– ¡*Tú cantas* muy bien, Pedro!
Pedro	– Gracias, papá.

CANTAR : usted canta = (familiar) *tú* cant*as*
CONTESTAR : usted contesta = (fam.) tú contestas
ENTRAR : usted entra = (fam.) tú entras
ESCUCHAR : usted escucha = (fam.) tú escuchas
ESTUDIAR : usted estudia = (fam.) tú estudias
EXPLICAR : usted explica = (fam.) tú explicas
HABLAR : usted habla = (fam.) tú hablas

MIRAR : usted mira = (fam.) tú miras
OCUPAR : usted ocupa = (fam.) tú ocupas
PASAR : usted pasa = (fam.) tú pasas
TERMINAR : usted termina = (fam.) tú terminas
VISITAR : usted visita = (fam.) tú visitas

LEVANTARse (*verbo reflexivo*) : usted se levanta = tú *te* levantas

Nota:

En las cassettes, hemos decidido no usar mucho la forma del "tú". Hemos preferido usar el "usted", deliberadamente, por razones pedagógicas y también porque el "usted" es la forma más frecuente y más favorecida en el turismo y en el comercio.

ESCENA 27

¿QUÉ PERIÓDICO LEE USTED?

Juan *Escuche. No repita.*

El Sr. García **lee.**

Juanita - ¿Qué lee?

Sr. García - **Leo el periódico.** En este **artículo, hablan de la industria del turismo** en **los países** de **Latinoamérica.** Hablan de **los turistas que vienen** a Méjico **para visitar los museos de arqueología** y **las pirámides.**

Juan	*Conteste*: ¿Mira el Sr. García la televisión?
Juanita	- No, el Sr. García no mira la televisión. *Repita.*
	- No, el Sr. García no mira la televisión.
Juan	*Repita*: el Sr. García lee.
	Lee el periódico.
	Lee un artículo en el periódico.

Sr. García	- Es un artículo muy **interesante.**

Juan	*Conteste*: ¿Qué hace el Sr. García?
	¿Escribe o lee?
Juanita	- Lee.
Juan	*Escuche. No repita.*

Sr. García	- "**El Diario**" es un periódico español y el "**Corriere della Sera**" es un periódico italiano. El "**New York Times**" y el "**London Times**" son **otros** periódicos muy **famosos.**

Juan	*Conteste*: ¿Es el "New York Times" un periódico mejicano?
Juanita	- No, el "New York Times" no es un periódico mejicano. *Repita.*

- No, el "New York Times" no es un periódico mejicano.

Juan — *Escuche* al Sr. García y a la **Sra. García.**

No repita.

La Sra. García **hace una pregunta**

y el Sr. García contesta.

Sra. García	- ¡Sancho!
Sr. García	- ¿Sí?
Sra. García	- ¿Está aquí el periódico del sábado?
Sr. García	- No sé. Yo leo el periódico del domingo.

Juan — *Conteste*: ¿Qué periódico lee el Sr. García? ¿El periódico del sábado o el periódico del domingo?

Juanita — - Lee el periódico del domingo.

Juan — *Conteste*: ¿No lee **el diccionario**?

- No, no lee ...

Juanita — - No, no lee el diccionario.

Juan — ¿No lee **la enciclopedia**?

- No, ...

Juanita — - No, no lee la enciclopedia.

Juan — ¿Lee un libro o un periódico?

Juanita	- Lee un periódico.
Juan	¿Dónde lee el periódico?
	¿En la oficina o en su casa?
Juanita	- Lee el periódico en su casa.
Juan	El profesor no trabaja
	porque es domingo.
Juanita	¡Y nosotros ya no **trabajamos**
	porque la escena 27 ha terminado!

FIN DE LA ESCENA 27

EJERCICIO 27

I. RECAPITULACIÓN DEL VERBO "SABER":

yo sé
tú sabes

usted sabe
él sabe
ella sabe

nosotros sabemos
nosotras sabemos

ustedes saben
ellos saben
ellas saben

II. ESTUDIE EL "TÚ" EN ESTOS VERBOS:

HACER : *Tú haces* muchos progresos en español.
SER : *Tú eres* inteligente.
TENER : *Tú tienes* cinco cassettes.
ESTAR : *Tú estás* en la escuela.
TRAER : *Tú traes* papel para escribir.
CONTAR : *Tú cuentas* tu dinero y yo cuento mi dinero.
CERRAR : *Tú cierras* la puerta.
PREFERIR : *Tú prefieres* la música moderna.
DECIR : *Tú dices* "buenos días" al profesor.
VENIR : *Tú no vienes* a la escuela el domingo, ¿verdad?
IR : ¿A qué hora *vas** al museo?

III. EJERCICIO ORAL:

Conjugue con todos los pronombres sujetos los verbos mencionados en esta página. Por ejemplo, HACER: yo hago, tú haces, él hace, ella hace, usted hace, nosotros hacemos, etc... SER: yo soy, tú eres, él es, etc... TENER: yo tengo, tú tienes, etc...

IV. "TÚ" EN EL PASADO (Cf. Ejercicio 16):

VISITAR : Usted ha visitado = *Tú has visitado.*
APRENDER: Usted ha aprendido = *(Tú) has aprendido.*
DECIDIR : Usted ha decidido = *Has decidido**

*** Nota: Omisión frecuente del sujeto en español.**
Tú haces muchos progresos = *Haces* muchos progresos.
Tú eres inteligente = *Eres* inteligente.
Tú te llamas Felipe = *Te llamas* Felipe.
Tú no te levantas a las seis = *No te levantas* a las seis.

ESCENA 28

¡HACE USTED DEPORTE?

Juan	Ahora *escuche* al Sr. López, el director.
Sr. López	- ¡A mí! ... ¡**Eso es**! ... ¡Uf! ... ¡Qué **servicio**! ...
Juan	*Conteste*: ¿Está el director en su oficina?
Juanita	- No, el director no está en su oficina.
Juan	*Conteste*: ¿Escribe una carta?
Juanita	- No, no escribe una carta.
Juan	¿Habla **por teléfono**?
Juanita	- No, no habla por teléfono.
Juan	¿Trabaja?
Juanita	- No, no trabaja.
Un hombre	- ¿Qué hace?
Una mujer	- **Juega al tenis.**

Juan *Repita*: juega al tenis.

Juega al tenis con la Sra. López.

Sra. López	- ¡**Tú juegas** muy bien, Carlos!
Sr. López	- Gracias, **querida.**

Juan *Conteste*: ¿Con quién juega ella?

¿Con el Sr. López?

Juanita - Sí, ella juega con el Sr. López. *Repita.*

- Sí, ella juega con el Sr. López.

Juan ¿Juega al fútbol?

Juanita - No, no juega al fútbol.

Juan ¿Juega al **béisbol**?

Juanita - No, no juega al béisbol.

Juan ¿A qué juega?

Juanita - Juega al tenis.

Juan **Juegan** al tenis **los dos.**

Recapitulemos:

El domingo, María no va a la oficina.

María	- El domingo, no voy a la oficina. Estoy aquí, en mi casa. Mi casita es muy cómoda.

Juan Pedro mira la televisión.

Mira **una película americana.**

Pedro	- El domingo, no voy a la escuela. Estoy aquí, en mi casa. Mi casita es muy cómoda.

Juan — El profesor, el Sr. García, lee un periódico.

Sr. García	- Yo leo el periódico del domingo. Tiene **muchas fotos** y es muy interesante.

Juan — El director, el Sr. López, juega al tenis con la

Sra. López.

Sr. López	- ¡A mí, otra vez! ... ¡Qué servicio! ... ¡Uf! ... Gracias ... Tu también juegas muy bien, querida.
Sra. López	- Gracias, **querido.**

Juan — *Repita*: el domingo, **ellos juegan** al tenis.

Miran la televisión.

Juanita — - Miran la televisión.

Juan — **Leen** el periódico.

Van al cine.

El domingo, **no se trabaja.**

Repita: no trabajamos, no se trabaja.

Escuchamos, se escucha.

Miramos, se mira.

Hablamos español, **se habla** español.

Una mujer	- ¡Aquí se habla español!

Juan — *Conteste*: ¿Trabajamos mucho? - Sí, ...

Juanita — - Sí, trabajamos mucho.

Una mujer	- ¡Aquí se trabaja **muchísimo**!

Juan — ¡Pues párese de trabajar!

La escena número 28 ha terminado.

Juanita — Adiós (... o: ¿buen fin de semana?).

EL DOMINGO, NO SE TRABAJA.

FIN DE LA ESCENA 28

EJERCICIO 28

I. RECAPITULACIÓN DE LOS PRONOMBRES SUJETOS:

yo	nosotros ......
tú	nosotras ......
usted	ustedes ....
él	ellos ....
ella	ellas ....

II. ESTUDIE LA FORMA FAMILIAR DEL "TÚ" EN OTROS VERBOS REGULARES:

COMPRENDER	: usted comprende	=	(familiar) *tú* comprend*es*
APRENDER	: usted aprende	=	(fam.) tú aprendes
PROMETER	: usted promete	=	tú prometes
VENDER	: usted vende	=	tú vendes
ABRIR	: usted abre	=	tú abres
ASISTIR	: usted asiste	=	tú asistes
DECIDIR	: usted decide	=	tú decides
DESCRIBIR	: usted describe	=	tú describes
ESCRIBIR	: usted escribe	=	tú escribes
DIVIDIR	: usted divide	=	tú divides
OMITIR	: usted omite	=	tú omites

IRse (*verbo reflexivo*) : usted se va = tú *te* vas

III. EJERCICIO ORAL:

Conjugue oralmente con todos los pronombres (pronombres sujetos) los verbos mencionados en esta página. Conjugue también los verbos mencionados en el ejercicio anterior (Ej. 27).

ESCENA 29

UN DÍA DE TRABAJO

Juan *Escuche. No repita.*

María	- Pedro, ¿Trabaja usted con **la segunda** cassette?
Pedro	- No, la segunda ha terminado. **Ésta** es **la tercera.**
María	- ¿**La tercera**? ¿Usted ya ha terminado con la primera y la segunda?
Pedro	- Sí, ya **he terminado** con **ésas.** Ahora **continúo** con la tercera.
María	- ¡Qué bien!

Juan - *Conteste*: ¿Ha terminado Pedro la segunda cassette?

Juanita - Sí, Pedro ha terminado la segunda cassette.

Repita.

- Sí, Pedro ha terminado la segunda cassette.

Juan *Conteste*: ¿Ha terminado la tercera?

Juanita - No, no ha terminado la tercera.

Aquí **continúa:**

Sr. García	- ¡Pedro!
Pedro	- Sí, Sr. García. Voy en seguida.
Sr. García	- ¡**A trabajar**! ¡A trabajar!
Pedro	- Sí, señor. ¿Escuchamos la escena 29?
Sr. García	- ¡Sí, **ahora mismo**!

Juan — *Conteste*: ¿Qué escena **escuchan** ellos?

Juanita — - Ellos escuchan la escena 29.

Juan — ¡Y nosotros también!

Conteste: ¿Es esto el comienzo o el final de la escena 29?

Juanita — - Esto es el comienzo de la escena 29.

Juan — *Escuche. No repita.*

Pedro	- Bueno ... y ahora, ¿qué **hacemos**?
Sr. García	- Ahora hacemos **un problema** de **matemáticas.**
Pedro	- Sí, **de acuerdo** ... Pero yo tengo **otro** problema, Sr. García ...
Sr. García	- ¿**Qué pasa**?
Pedro	- Tengo un bolígrafo para escribir pero no tengo papel.
Sr. García	- ¿No tiene papel? ¿Viene a la escuela **sin** papel? ¡Ay, Pedro! ... Eso no está bien.
Pedro	- Lo siento, señor.
Sr. García	- Bueno ... ¡Aquí **tiene usted** papel!
Pedro	- Gracias, señor.

Juan — *Repita*: Pedro **toma** el papel.

Conteste: ¿Toma Pedro el teléfono?

Juanita	- No, no toma el teléfono.
Juan	¿Toma la máquina de escribir?
Juanita	- No, no toma la máquina de escribir.
Juan	¿Qué toma?
Juanita	- Toma el papel.
Juan	Toma el papel y el bolígrafo para escribir.

Pedro	- Gracias **por** el papel.

Juan — Ahora, Pedro **pone** el papel en la mesa.

Pone el papel **encima de** la mesa.

Repita: encima de la mesa.

Conteste: ¿Dónde pone el papel? ¿Encima de la silla o encima de la mesa?

Juanita — - Pone el papel encima de la mesa.

Juan — La mesa es para escribir y trabajar.

Es una mesa de trabajo.

Conteste: ¿Está la silla encima de la mesa?

Juanita — - ¡No, la silla no está encima de la mesa! *Repita.*

- ¡No, la silla no está encima de la mesa!

FIN DE LA ESCENA 29

ES UNA MESA
DE TRABAJO.
¡QUÉ TRABAJO!

EJERCICIO 29

I. ESTUDIE EL PRONOMBRE COMPLEMENTO DIRECTO:

ME, TE, LO, LA, NOS, LOS, LAS.

Yo tomo *el libro* = Yo *lo* tomo. ("lo" remplaza "el libro")
Yo tomo *la carta* = Yo *la* tomo. ("la" remplaza "la carta")
Yo tomo *los libros* = Yo *los* tomo. ("los" remplaza "los libros")
Yo tomo *las cartas* = Yo *las* tomo. ("las" remplaza "las cartas")

Otros ejemplos: Usted *me* mira.
Pedro *nos* mira.
Yo *te* miro.

Ejemplos en la forma negativa
Yo *no te miro*.
Tú no *me* miras.
Yo no *lo* miro.
Yo no *la* miro.
Usted no *nos* escucha.
Yo no *los* escucho.
Nosotros no *las* escuchamos.

Ejemplos en el Pasado
Yo *te he mirado*.
Tú *me* has mirado.
Yo *lo* he mirado.
Yo *la* he mirado.
Usted *nos* ha escuchado.
Yo *los* he escuchado.
Nosotros *las* hemos escuchado.

Nosotros *no las hemos escuchado* (Pasado *y* negativo.)

II. COMPLETE LA FRASES CON EL PRONOMBRE COMPLEMENTO DIRECTO:

1. ¿Abre usted *el libro*? – Sí, (yo) ______ abro.
2. ¿Escribimos *las contestaciones*? – Sí, ustedes ______ escriben.
3. ¿Escucha Pedro a *María*? – Sí, Pedro ______ escucha.
   ("María" es complemento directo, pero con la "a" personal)

CORRECCIÓN

1. Sí, yo *lo* abro (o: Sí, lo abro).
2. Sí, ustedes *las* escriben.
3. Sí, Pedro *la* escucha.

ESCENA 30

UN POCO DE GEOGRAFÍA

Juan *Escuche. No repita.*

Sr. García	- Ud. trabaja muy bien, Pedro. **Lo felicito.**
Pedro	- Gracias, señor. Y ahora, ¿qué hacemos?
Sr. García	- Ahora, **escribimos** cartas **comerciales.**
Pedro	- De acuerdo.

Juan *Repita*: Pedro escribe una carta comercial.

Conteste: ¿No juega al fútbol en la clase?

Juanita - No, no juega al fútbol en la clase. *Repita.*

- No, no juega al fútbol en la clase.

Juan *Escuche. No repita.*

Sr. García	- Y ahora, Pedro, ¡**abra** su libro!
Pedro	- Sí, señor.
Sr. García	- **Mire** esto.
Pedro	- ¿Qué?
Sr. García	- Esto, esto: **el mapa de Latinoamérica. Este país** es **el Perú.**
Pedro	- ¿Éste?
Sr. García	- Sí, éste. Es el Perú. **Esta ciudad** es Lima.
Pedro	- ¿**Ésta**?
Sr. García	- Sí, ésta. Es Lima. Lima es **la capital** del Perú. **Estos paises** son **Uruguay** y **Paraguay.**
Pedro	- ¿**Éstos**?
Sr. García	- Sí, éstos. Son Uruguay y Paraguay. **Estas ciudades** son **Montevideo** y **Asunción.**

Juan *Repita*: éste, ésta,

éstos, éstas.

Escuche. No repita.

Sr. García	- Este teléfono, esta máquina, estos periódicos y estas cartas son de la oficina.
Pedro	- Sí. Y este reloj, esta mesa, estos papeles y estas sillas también son de la oficina ... Aquí se trabaja mucho. Yo también trabajo mucho. Trabajo demasiado: **leo** las escenas, escucho las cassettes y contesto las preguntas, repito las contestaciones **correctas** y escribo los ejercicios. Es mucho. ¡Es demasiado, Sr. García!
Sr. García	- Pero **lo** hace muy bien, Pedro. Yo **lo** felicito.
Pedro	- Gracias, ¡pero es demasiado trabajo!
Sr. García	- No, demasiado no... Trabajar es bueno.
Pedro	- Pero trabajar demasiado es **malo.**

Juan *Repita*: ¡Trabajar demasiado no es bueno!

¡No es bueno, es malo!

Pedro	- Muy malo. ¡**Malísimo**!
Sr. García	- ¡Vamos, vamos!...

Juan *Repita*: malísimo.

Muy bueno, ¡**buenísimo**!

Muy grande, ¡**grandísimo**!

Escuche. No repita. **Hoy** no es domingo:

María trabaja y el Sr. López trabaja;

Pedro trabaja y el Sr. García también.

Hoy, todos trabajan.

Todos o **todo el mundo.**

Repita: Hoy, todo el mundo trabaja.

Escuche. No repita. Usted escribe los ejercicios en el libro, lee las escenas en el libro, **escucha** todas las cassettes, **contesta todas las preguntas, repite** todas las contestaciones, ...

¿Trabaja usted mucho o poco?

Juanita	- Trabajo mucho.
Juan	*Conteste*: ¿Trabaja usted muchísimo o **poquísimo**?
Juanita	- Trabajo muchísimo.
Juan	¡Pues párese de trabajar! ¡Hasta mañana!
Juanita	- ¡Hasta mañana!

Pedro	- ¿**Hemos terminado** la escena 30?
Sr. García	- Sí, ahora hemos terminado.

FIN DE LA ESCENA 30

EJERCICIO 30

I. ESTUDIE EL PRONOMBRE COMPLEMENTO *INDIRECTO*:

ME, TE, *LE*, *LE*, NOS, *LES*, *LES*.

Ella trae la carta *al director* = Ella *le* trae la carta.
Yo digo "buenos días" *a Juan* = Yo *le* digo "buenos días".
Yo digo "buenos días" *a Juanita* = Yo *le* digo "buenos días".
Yo digo "buenos días" *a los estudiantes* = Yo *les* digo "buenos días".

Otros ejemplos:
Pedro *nos* canta una canción.
Tú *me* escribes una carta.
Yo *te* escribo una carta.

Ejemplos en la forma negativa:
María *no le trae* la carta.
Yo no *le* digo "buenos días".
Yo no *les* digo "adiós".
Tú no *me* escribe**s** en inglés.
Yo no *te* escribo mucho.
Pedro no *nos* canta una canción italiana.

Ejemplos en el Pasado:
María *le ha traído* la carta.
Pedro *nos ha cantado* una canción muy bonita.
Usted *no nos ha traído* la carta (Pasado *y* negativo.)

II. COMPLETE LAS FRASES CON EL PRONOMBRE COMPLEMENTO *INDIRECTO*:

1. ¿Dice usted "buenos días" *a sus amigos*? ("a sus amigos" es el complemento INDIRECTO)

   – Sí, yo ______ digo buenos días.

2. ¿*Me* dice usted "buenos días"? ("Me" es el comp. INDIRECTO)

   – Sí, (yo) ______ digo "buenos días".

CORRECCIÓN

1. Sí, yo *les* digo "buenos días".
2. Sí, yo *le* digo "buenos días".

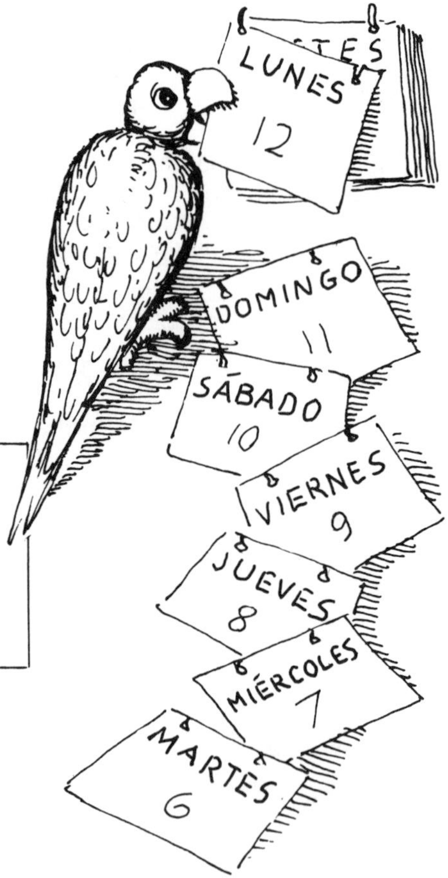

ESCENA 31

¿QUÉ DÍA ES HOY?

Juan *Escuche. No repita.*

María - ¡Ay, **madre mía! ¡Cuánto trabajo**! ¡Cuánto trabajo tengo!
Pedro - ¡**Hoy** no es domingo, María!
María - No, **¡eso sí que no!** hoy no es domingo, hoy es un día de trabajo.

Juan Hoy es **un día de semana.**

Repita : **el lunes** es un día de semana.

El martes es un día de semana.

El miércoles es un día de semana.

Repita. : lunes, martes, miércoles,

jueves, viernes,

sábado y domingo.

Conteste : ¿Son éstos los días de la semana?

Juanita - Sí, éstos son los días de la semana. *Repita.*

- Sí, éstos son los días de la semana.

Juan — La semana **comienza** el lunes.

Pedro	- Lunes, martes, miércoles, jueves, viernes, sábado y domingo. 1, 2, 3, 4, 5, 6, 7: en una semana **hay** siete **días.**

Juan — Hay siete días.

Hay siete días en una semana.

Escuche. No repita.

Pedro	- Pero usted, María, no trabaja los siete días de la semana, ¿verdad? No trabaja **ni** el sábado **ni** el domingo.
María	- No trabajo el domingo pero **sí** trabajo el sábado **por la mañana.**
Pedro	- ¿Usted trabaja el sábado?
María	- Sólo por la mañana. Trabajo el sábado por la mañana pero **termino** de trabajar a las doce: después de las doce, no trabajo. No trabajo el sábado **por la tarde.**

Juan — *Repita* : el sábado por la tarde.

El sábado por **la noche.**

El sábado por la mañana.

Repita : la mañana, la tarde, la noche.

Conteste : ¿Trabaja María el sábado por

la mañana? - Sí, María trabaja ...

Juanita	- Sí, María trabaja el sábado por la mañana.
Juan	¿Trabaja ella el sábado por la tarde?
Juanita	- No, ella no trabaja el sábado por la tarde.
Juan	¿Va ella a la oficina el domingo?
	- No, ella no va ...
Juanita	- No, ella no va a la oficina el domingo.
Juan	Pero hoy no es domingo (¡escuche!): hoy todo el mundo trabaja en la oficina.

FIN DE LA ESCENA 31

EJERCICIO 31

I. ESTUDIE EL IMPERATIVO DE LOS VERBOS REGULARES:

ESCUCH**AR**		APREND**ER**	ABR**IR**	
¡Escuche!	(usted)	¡Aprenda!	¡Abra!	(usted)
¡Escuchen!	(ustedes)	¡Aprendan!	¡Abran!	(ustedes)

Con el verbo ENTR**AR** : ¡Entre, por favor, Sr. González!
HABL**AR** : ¡Por favor, señores! ¡Hablen español!
VISIT**AR** : ¡Por favor, Sr. Johnson! ¡Visite al Sr. López!
PAS**AR** : ¡Buenos días, Alberto y María! ¡Pasen, por favor!

VEND**ER** : ¡Por favor, señor, venda su coche!
ESCRIB**IR** : ¡Escriba su nombre y apellido, por favor!
¡Escriban sus números de teléfono, por favor!

II. ESCRIBA LOS NÚMEROS (Ejemplo: 4 = cuatro)

15: ______________________ 340: ______________________

29: ______________________ 516: ______________________

30: ______________________ 717: ______________________

31: ______________________ 919: ______________________

42: ______________________ 2988: ______________________

CORRECCIÓN

15: quince.
29: veintinueve.
30: treinta.
31: treinta y uno.
42: cuarenta y dos.
340: trescientos cuarenta
516: quinientos dieciséis.
717: setecientos diecisiete.
919: novecientos diecinueve.
2988: dos mil novecientos ochenta y ocho.

ESTOY EN MI CASA.
¿SABE UD. MI DIRECCIÓN?

ESCENA 32

¿SABE USTED MI DIRECCIÓN?

Sr. López	- ¡María!
María	- Sí, Sr. López.
Sr. López	- No tengo **el número de teléfono** del Sr. Johnson. ¿**Lo** tiene usted?
María	- Sí. Es 44-58-31.
Sr. López	- 44-58-31. Gracias.

Juan — *Conteste*: 44-58-31, ¿es su número, el número de usted?

Juanita — - No, no es mi número.

Juan — ¿Es el número del Sr. Johnson?

Juanita — - Sí, es el número del Sr. Johnson.

Juan — ¿Cuál es **su número de usted**?

Juanita — - Mi número es: ....

Juan — ¡Ah! Muy bien.

Escuche. No repita.

María	- El número de teléfono del Sr. Johnson es éste, pero ahora él no está aquí.
Sr. López	- ¿Dónde está?
María	- En **Colombia.**
Sr. López	- ¿Está en Colombia?
María	- Sí. Está en la ciudad de **Bogotá.**
Sr. López	- ¿**Tenemos** su **dirección** en Bogotá?
María	- Sí. La dirección del Sr. Johnson está en la computadora. ¡Ah! ¡Aquí tengo la dirección! "Sr. William Johnson Avenida de la Independencia, 32 Bogotá, Colombia."

Juan *Conteste*: ¿Sabe María la dirección del Sr. Johnson?

Juanita - Sí, María sabe la dirección del Sr. Johnson.

Juan ¿En qué país está el Sr. Johnson? ¿En Colombia o en Chile?

Juanita - El Sr. Johnson está en Colombia.

Juan ¿En qué ciudad está?

Juanita - Está en Bogotá.

Juan ¿Y usted? ¿Ahora, está Ud. en Bogotá?

Juanita - No, ahora, yo no estoy en Bogotá.

	- No, ahora, no estoy en Bogotá.
Juan	¿Cuál es su dirección, la dirección de usted?
Juanita	- Mi dirección es: ....
Juan	¡Ah! Perfecto. Y ... ¿Sabe usted mi dirección?
Juanita	- No, no sé su dirección.
Juan	¿Sabe Ud. mi número de teléfono?
Juanita	- No, no sé su número de teléfono.
Juan	*Repita*: no sé **ni** su dirección **ni** su número de teléfono.
	Repita: ni la dirección ni el número.
	Ahora *escuche*.

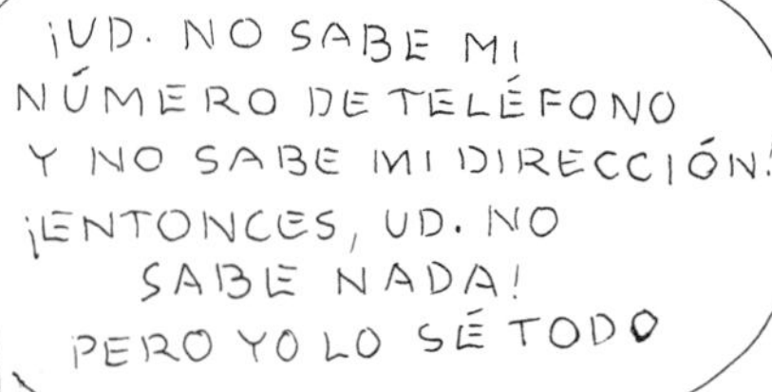

Pedro	- María, ¿qué hora es? Hoy **no tengo reloj,** y el reloj de la oficina **se ha parado.**
María	- Son las doce.
Pedro	- ¿**Ya** son las doce? Entonces ya es **hora de parar,** ¿no?
Sr. López	- Sí, es verdad, Pedro. María, pare de trabajar. Pare una hora.
María	- Muy bien, pero sólo una hora porque hoy tengo mucho trabajo.

Juan — *Escuche.* Nosotros también **hemos trabajado**

mucho. Es hora de **parar** esta cassette.

¡Hasta luego!

La escena número 32 ha terminado.

FIN DE LA ESCENA 32

EJERCICIO 32

I. ESTUDIE LAS HORAS DEL DÍA:

Las seis y diez
(= las seis y
diez minutos)

Las seis y cuarto
(= las seis y
quince minutos)

Las seis y media
(las seis y
treinta minutos)

Las siete menos veinte
(= las seis y
cuarenta minutos)

Las siete menos cuarto
(= las seis y
cuarenta y cinco minutos)

15 minutos = un cuarto de hora. 30 minutos = media hora.

II. ESCRIBA EN LA FORMA FAMILIAR ("tú ..."):

1. Usted juega al tenis: ______________________________
2. Usted lee su periódico: ______________________________
3. Usted no ha terminado su ejercicio: ______________________
4. ¿Tiene usted la cassette? : ___________________________
5. ¿Está usted contento (contenta)? : ____________________

CORRECCIÓN

1. *Tú juegas* al tenis.
2. *Tú lees* tu periódico.
3. *Tú no has terminado* tu ejercicio.
4. ¿*Tienes* (tú) la cassette?
5. ¿*Estás* contento (contenta)?

ESCENA 33

UNA LLAMADA TELEFÓNICA

Juan — *Escuche. No repita.* Hoy es sábado, sábado por la tarde. María no trabaja. Está en su casa. Hoy también contesta el teléfono, pero en su casa.

María	- ¡Ay! ¡Ese teléfono! ¡Ese teléfono! ... ¿Diga?
Pedro	- ¡Hola, María!
María	- ¡Hola, Pedro!
Pedro	- ¿Está ocupada?
María	- No, no.
Pedro	- María, ¿qué hace Ud. **esta noche**?
María	- Esta noche tengo cita con Alberto.
Pedro	- ¿Con quién?
María	- Con Alberto.
Pedro	- ¿Quién es Alberto?
María	- ¿**Usted no conoce a Alberto**?
Pedro	- No, **yo no conozco a Alberto.** ¿Quién es?
María	- Es **un amigo.**
Pedro	- ¿Un **buen** amigo?
María	- Sí, un buen amigo, muy **simpático.**
Pedro	- ¡Oh!

Juan — *Conteste*: ¿Cómo se llama el amigo?

Juanita — - Se llama Alberto.

Juan — *Conteste*: ¿Es un amigo **de** Pedro o **de** María?

Juanita — - Es un amigo de María.

- Es un amigo de María.

Juan — *Escuche* **lo que dice María.** *No repita.*

María habla con Pedro. Habla **de** Alberto.

TIENEN
CITA ESTA
NOCHE.
¡SÍ, ESTA NOCHE!

María	- Todos los sábados, tengo cita con Alberto.
Pedro	- ¿Todos los sábados?
María	- Sí.
Pedro	- Entonces, ¿hoy también?
María	- Sí, hoy también. **Tenemos cita** esta noche.

Juan — *Conteste*: ¿Con quién tiene cita María?

¿Con Pedro o con Alberto?

Juanita	- Tiene cita con Alberto.
Juan	*Conteste*: ¿Tiene cita el sábado o el domingo?
Juanita	- Tiene cita el sábado.
Juan	¿El sábado por la tarde o el sábado por la noche?
Juanita	- El sábado por la noche.
Juan	¿Sabe usted a qué hora?
Juanita	- No, no sé a qué hora.
Juan	*Escuche.* María **dice** a qué hora tiene cita:

María	- A las ocho.

Juan	María dice: "A las ocho." María dice **que** tiene cita a las ocho.

María	- Con Alberto.

Juan	Dice que tiene cita con Alberto.

FIN DE LA ESCENA 33

EJERCICIO 33

I. LOS ADJETIVOS DEMOSTRATIVOS (recap. Cf. Ej. 12)

	Singular		Plural	
	ESTE.....,	ESTA....,	ESTOS.....,	ESTAS......,
(o:	ESE......,	ESA.....,	ESOS......,	ESAS.......)

Este muchacho se llama Alberto y *ese muchacho* se llama Felipe.
Esta muchacha se llama Dolores y *esa muchacha* se llama Cristina.
Estos muchachos son mejicanos y *esos muchachos* son argentinos.
Estas muchachas son colombianas y *esas muchachas* son venezolanas.

II. LOS PRONOMBRES DEMOSTRATIVOS (recap. Cf. Ej. 12)

	ÉSTE, ÉSTA,	ÉSTOS, ÉSTAS,
(o:	ÉSE, ÉSA,	ÉSOS, ÉSAS.)

Éste se llama Alberto, y *ése* se llama Felipe.
Ésta se llama Dolores, y *ésa* se llama Cristina.
Éstos son mejicanos, y *ésos* son argentinos.
Éstas son colombianas, y *ésas* son venezolanas.

III. COMPLETE CON UN ADJETIVO O PRONOMBRE DEMOSTRATIVO:

1. ________ reloj es de Pedro, y ________ es de María.
2. ________ silla es de Pedro, y ________ es de María.
3. ________ papeles son del Sr. García, y ________ son del Sr. López.
4. ________ máquinas son buenas, pero ________ son malas.
5. Hoy es sábado: María no trabaja ________ tarde.
6. Yo tengo cita con mis amigos ________ domingo.
7. ________ escena es la escena número 33, y ________ es la 34.
8. ________ pregunta es fácil, pero ________ es difícil.
9. ¡ ________ ejercicios no son difíciles, son fáciles!
10. ________ ejercicio ha terminado, y ________ otro empieza.

CORRECCIÓN

1. Este *reloj* es de Pedro, y ése es de María.
2. Esta *silla* … y ésa
3. Estos *papeles* … y ésos
4. Estas *máquinas* … pero ésas
5. esta *tarde*
6. este *domingo*
7. Esta *escena* … y ésa
8. Esta *pregunta* … pero ésa
9. ¡Estos *ejercicios*
10. Este *ejercicio* y ése otro …

ESCENA 34

¿QUÉ HACE ALBERTO?

Juan — *Escuche* **la continuación** de **la llamada telefónica** de Pedro a María.

No repita **lo que dicen.**

Escuche solamente.

María	- Digo que tengo cita con mi amigo Alberto a **las ocho de la noche.**
Pedro	- ¿Esta noche?
María	- Sí, porque es sábado. Pedro, ¿sabe usted dónde trabaja Alberto? ¿Sabe usted **lo que hace**?
Pedro	- No. ¿Dónde trabaja?
María	- Alberto no trabaja en una oficina **como** yo.
Pedro	- ¿Qué hace Alberto?
María	- Él no es profesor como el Sr. García.
Pedro	- Pero ... ¿qué hace?
María	- No es director como el Sr. López.
Pedro	- ¿Pero **qué es lo que hace**?
María	- Trabaja en **una tienda.**
Pedro	- ¿Una tienda de qué?
María	- De **discos.** Trabaja en una tienda de discos.

Juan — *Conteste*: ¿Dónde trabaja Alberto?

Juanita — - Trabaja en una tienda de discos.

¡ÉL VENDE DISCOS!
¡QUÉ MARAVILLA!

Juan — *Repita*: Alberto **vende** discos.

Escuche. No repita.

Pedro - Entonces, su amigo Alberto escucha discos **durante todo el día**?
María - ¡Claro! **Vender** y **escuchar** discos es su trabajo.
Pedro - ¡**Qué bien**!

Juan — *Repita*: ¡Qué bien!

¡**Qué fantástico**!

¡Es **maravilloso**!

María - ¡Su tienda es **una maravilla**! Y está muy bien **situada.**
Pedro - ¿Dónde?
María - En la Avenida de **la República.**

Juan — *Conteste*: ¿Está bien situada la tienda de Alberto?

Juanita - Sí, la tienda de Alberto está bien situada.

Juan — ¿En qué avenida está? ¿En la Avenida de la República o en la Avenida **Cristóbal Colón**?

Juanita - Está en la Avenida de la República.

Juan — Muy bien. Y basta por hoy. Continuamos mañana.

Juanita - ¡Hasta mañana!

FIN DE LA ESCENA 34

EJERCICIO 34

I. ESTUDIE LAS EXPRESIONES CON EL VERBO "TENER":

TENER CITA: *Tenemos cita* con nuestros amigos a las cuatro de la tarde.
TENER RAZÓN: Pedro dice que Caracas está en Venezuela; es verdad,
Pedro *tiene razón*: Caracas está en Venezuela.

Roberto dice que Lima está en Chile; eso no es verdad:
Roberto *no tiene razón*: ¡Lima está en Perú!

TENER DOLOR DE CABEZA: – ¡Buenos días, María! ¿Cómo está usted?
– Hoy, no estoy bien: *tengo dolor de cabeza*.
TENER DOLOR DE ESTÓMAGO: Hoy, Carlos no está muy bien: *tiene dolor de estómago*.

II. ESTUDIE: TODO, TODA, TODOS, TODAS.

Yo estudio *todo el vocabulario* de la lección
("todo" es masculino singular, como "*el* vocabulario".)
Yo trabajo *toda la semana* ("toda" es fem. sing., como "*la* semana").
Yo leo *todos los artículos* del periódico
("todos" es masculino plural, como "*los* artículos".)
Yo contesto *todas las preguntas* del ejercicio
("todas" es femenino plural, como "*las* preguntas".)

III. COMPLETE CON LA PALABRA "TODO", "TODA", "TODOS" O "TODAS":

1. Pedro no sabe ____________ la gramática española.
2. Yo no he escuchado ____________ las escenas del programa.
3. María no trabaja ____________ los días de la semana.

CORRECCIÓN

1. Pedro no sabe *toda* la gramática española.
2. Yo no he escuchado *todas* las escenas del programa.
3. María no trabaja *todos* los días de la semana.

ESCENA 35

¡VAMOS A LA TIENDA DE ALBERTO!

Juan	*Escuche. No repita.*
	La tienda donde trabaja Alberto no es una tienda de máquinas y computadoras; es una tienda de discos.
	Conteste: ¿Qué vende Alberto?
Juanita	- Vende discos.
Juan	¿No vende máquinas de escribir?
Juanita	- No, no vende máquinas de escribir.
Juan	*Escuche*. Ahora vamos a la tienda donde trabaja Alberto. Ya estamos en la tienda. Hay **muchas personas** en la tienda. *Escuche* a **este señor:**

Un cliente	- Buenos días. **Quisiera** dos discos de música **clásica,** por favor: **la Sinfonía** número nueve de Beethoven y **el Concierto** número dos para piano y **orquesta** de Chopin.
Alberto	- Por aquí, por favor. Todos los discos de música clásica están aquí. Todos los discos de Beethoven están aquí, y **los** de Chopin están **allí.**
El cliente	- Gracias.

Juan — Alberto no vende libros; no vende reloj**es;**

no vende computadoras y **televisores;**

vende discos, discos de música clásica,

discos de música **moderna** y también cassettes.

El cliente	- Tomo dos discos clásicos: uno de Puccini y otro de Wagner.
Alberto	- Muy bien.
El cliente	- ¿Cuánto es?
Alberto	- Son **cien** pesos.

Juan — Alberto vende los discos al cliente.

El cliente **compra** los discos.

Juan — *Conteste*: ¿Quién vende los discos?

Juanita — - Alberto vende los discos.

Juan — ¿Quién compra los discos?

Juanita — - El cliente compra los discos.

Alberto	- Gracias. **Aquí están sus dos discos.**
Una señorita	- Por favor ... **Quisiera escuchar** un disco. ¿Es **posible**?
Alberto	- ¡Claro que sí, señorita! ¡**Venga por aquí**!

Juan — *Conteste*: **esa señorita que habla** ahora, ¿es María?

Juanita — - No, esa señorita que habla ahora no es María.

- No, no es María.

Juan	- ¿Dónde está María?
Juanita	- No **lo** sabemos.

Alberto	- ¿**Qué disco quisiera usted escuchar**?
La señorita	- Un disco de **cante flamenco.**
Alberto	- ¡Ah! Entonces, **pase** por aquí: los discos de música española están allí, en la otra **parte** de la tienda.

Juan — *Repita*: quisiera comprar un disco.

¡Por favor, pase por aquí!

Conteste: ¿Dónde estamos? ¿En **la calle** o en la tienda de Alberto?

- Estamos ...

Juanita — - Estamos en la tienda de Alberto.

FIN DE LA ESCENA 35

EJERCICIO 35

LOS ADJETIVOS POSESIVOS — Primera parte (recapitulación. Cf. Ej.14)

(Yo)....*mi* libro
mi máquina
mis libros ("mis" es plural porque "libros" es plural)
mis máquinas ("mis" es plural porque "máquinas" es plural)

Otros ejemplos: Yo tengo *mi coche*. Yo estoy sentado en *mi silla*.
Yo hago *mis ejercicios*. Estudio *mis lecciones*.

(Tú)....*tu* libro
tu máquina
tus libros ("tus" es plural porque "libros" es plural)
tus máquinas ("tus" es plural porque "máquinas" es plural)

Otros ejemplos:
Tú escribes *tu número de teléfono* en el papel.
Tú estás sentado en *tu silla*.
Tú escuchas *tus discos*. Escuchas *tus cassettes*.

(Para: Usted, él, ella)...*su* libro
su máquina
sus libros ("sus" es plural, como "libros".)
sus máquinas ("sus" plur., como "máquinas".)

Otros ejemplos:
Usted está en *su coche*. Usted está con *su familia*.
Usted está con *sus amigos*. Está con *sus amigas*.
Antonio está en *su coche*. Él está con *su familia*.
Está con *sus amigos*. Está con *sus amigas*.
María tiene *su bolígrafo*. Está sentada en *su silla*.
Ella va al cine con *sus amigos*. Va al cine con *sus amigas*.

ESCENA 36

LA LLEGADA DE MARÍA

Juan — *Escuche. No repita.*

María no está en la tienda **todavía.**

Está en la calle y va a la tienda.

Llega a la tienda a las ocho.

Repita: María **llega** a las ocho.

Abre la puerta de la tienda y entra.

Conteste: ¿Qué abre María? ¿La puerta o la ventana?

Juanita — - Abre la puerta.

Juan — ¿Entra en la tienda o en su oficina?

Juanita — - Entra en la tienda.

María - ¡Ah! Allí está Alberto.

Juan **Llama** a Alberto.

María - ¡Alberto!

Juan Alberto **ve** a María y **le** contesta:

Alberto - ¡María!
María - Buenas noches, Alberto.
Alberto - Buenas noches. ¿**Cómo está usted**?
María - Muy bien, gracias. Y usted, Alberto, ¿cómo está?
Alberto - Bien, pero trabajo demasiado.
María - Usted es como Pedro. Él siempre dice que trabaja demasiado.

Juan *Repita*: ¿Cómo está usted?

Juanita - Bien gracias. ¿Y usted?

Alberto - Yo estoy bien, María, pero **es verdad** que trabajo demasiado.
María - Sí, hay **muchos clientes.**
Alberto - ¡Sí, hay veinte o veinticinco personas en la tienda!
María - ¡**Mucha gente**!

Juan *Repita*: hay mucha gente.

Esta noche, hay muchísima gente en la tienda. *Escuche* a esta señora:

Una señora	- Quisiera un disco de música **folklórica,** por favor.
Alberto	- Por aquí, señora.
Un señor (otro cliente)	- Quisiera un disco de Manuel de Falla, por favor.
Otro cliente	- ¿Vende usted cassettes de cante flamenco?
Otro cliente	- ¿Tiene usted discos de **tangos argentinos**?
Alberto	- Un minuto, por favor, un minutito ...
Otro cliente	- **Quisiera escuchar** un disco de **canciones populares ...**

Juan — *Conteste*: ¿**Hablan** muchas personas?

Juanita - Sí, hablan muchas personas.

Juan — ¿Hay mucha gente o **poca** gente?

Juanita - Hay mucha gente.

María	- En la avenida también, hay mucha gente. Siempre hay mucha gente el sábado por la noche. En **los cafés,** en **los bares,** en **los restaurantes,** en **los parques** y **jardines públicos,** delante de **los hoteles,** delante de las tiendas...¡Hay gente **por todas partes**!

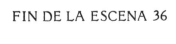

FIN DE LA ESCENA 36

EJERCICIO 36

I. LOS ADJETIVOS POSESIVOS — Segunda parte (Cf. Ej. 14)

(Para: Nosotros o nosotras)...........*nuestro* libro
("nuestro" es masculino y singular, porque "libro" es masc. y sing.)
nuestra máquina
("nuestra" es femenino y singular, porque "máquina" es fem. y sing.)
nuestros libros
("nuestros" es masculino y plural, porque "libros" es masc. y plur.)
nuestras máquinas
("nuestras" es femenino y plural, porque "máquinas" es fem. y plur.)

Otros ejemplos:
Nosotros contamos *nuestro dinero*. Nosotros entramos en *nuestra casa*.
Nosotros leemos *nuestros libros*. Escuchamos *nuestras cassettes*.

(Para: Ustedes, ellos y ellas)........*su* libro ("su" es singular porque "libro" es singular; aquí hay sólo un libro para todos.)
su máquina ("su" es singular porque "máquina" es singular; aquí hay sólo una máquina para todos.)
sus libros ("libros" es plural.)
sus máquinas ("máquinas" es plur.)

Otros ejemplos: Ellos cuentan *su dinero*. Ustedes entran en *su casa*.
Ustedes leen *sus libros*. Ellas escuchan *sus cassettes*.
Van al restaurante con *sus amigos* y *sus amigas*.

II. COMPLETE CON EL ADJETIVO POSESIVO CORRESPONDIENTE AL SUJETO:

1. Ellas cuentan ______ dinero (= el dinero de ellas.)
2. Ellos entran en ______ casa (= la casa de ellas.)
3. Ustedes escriben con ______ bolígrafos.

CORRECCIÓN

1. Ellas cuentan *su dinero*.
2. Ellos entran en *su casa*.
3. Ustedes escriben con *sus bolígrafos*.

ESCENA 37

LA SALIDA A LA CALLE

María	- ... Y hay muchísimos coches en las calles y **policías** por todas partes.
Alberto	- ¿Viene usted **de** la oficina?
María	- No, vengo **de** mi casa.
Alberto	- Y ahora, ¿qué hora es?
María	- Las ocho y media.
Alberto	- ¡Bueno¡ Ya es hora de **cerrar** la tienda. Señoras y señores, **cerramos.** ¡Cerramos!

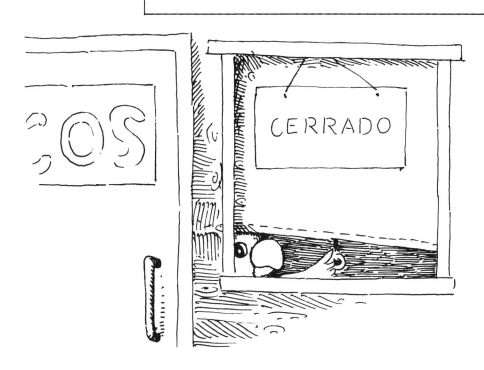

Juan	Alberto **cierra** la tienda.
	Conteste: ¿Cierra la puerta?
Juanita	- Sí, cierra la puerta.
Juan	¿La puerta de la casa o la puerta de la tienda?
Juanita	- La puerta de la tienda.
Juan	*Repita*: ahora, la tienda está **cerrada.** No está **abierta.** Está cerrada.

Una señora	- Por favor, señor, quisiera comprar un disco. ¿Está abierta la tienda?
Alberto	- No, señora. La tienda está cerrada. Es demasiado **tarde.**
La señora	- ¡Oh!
Alberto	- Venga **mañana.**
La señora	- ¿A qué hora **abren por la mañana**?
Alberto	- **Abrimos** a las nueve.

Juan	*Escuche. No repita.* Alberto **ha cerrado** la tienda, y ahora va con María **por** la avenida. Alberto y María **van** juntos.

María	- ¿Adónde **vamos**?
Alberto	- **Vamos al cine.**

Juan	*Repita*: **el cine** está en la avenida.

Conteste : ¿Van ellos a la oficina?

Juanita - No, ellos no van a la oficina.

Juan ¿Van a la escuela?

Juanita - No, no van a la escuela.

Juan ¿Van a **la biblioteca** o al cine?

Juanita - Van al cine.

Juan *Repita* : ellos van - ustedes van ...

Yo voy - Nosotros vamos...

Él va - Usted va ...

Alberto	- **Vamos a ver** una película en el cine de la avenida.

Juan *Conteste* : ¿**Van a comprar** discos?

Juanita - No, no van a comprar discos.

Juan ¿**Van a escuchar** la radio?

Juanita - No, no van a escuchar la radio.

Juan ¿**Van a mirar** la televisión?

Juanita - No, no van a mirar la televisión.

María	- ¿Qué película vamos a ver?
Alberto	- Ésta: **"Aventura en Nueva York."**
María	- ¡Ah, sí! **Dicen** que es muy **buena.**
Alberto	- Vamos a **sacar las entradas...**

Juan *Escuche. No repita.*

Alberto y María **van a ver** "Aventura en Nueva York", una película americana en el cine de la avenida.

¡**Buenas noches,** Alberto!

¡Buenas noches, María!

¡**Diviértanse**!

Juanita ... ¡Y buenas noches también a todos **los que escuchan** esta cassette! **Si** van al cine o **si hacen otra salida** ¡diviértanse!

Juan ¡A todos, **muy buenas noches**!

La escena 37 ha terminado.

FIN DE LA ESCENA 37

EJERCICIO 37

ESTUDIE LOS VERBOS:

VER		IR	
Presente	*Pasado*	*Presente*	*Pasado*
Yo veo	Yo he visto	Yo voy	he ido
Tú ves	Tú has visto	Tu vas	has ido
Usted ve	Usted ha visto	Usted va	ha ido
Él ve	Él ha visto	El va	ha ido
Ella ve	Ella ha visto	Ella va	ha ido
Nosotros vemos	Nosotros hemos visto	Nosotros vamos	hemos ido
Ustedes ven	Ustedes han visto	Ustedes van	han ido
Ellos ven	Ellos han visto	Ellos van	han ido
Ellas ven	Ellas han visto	Ellas van	han ido

ESTUDIE ESTA SIMPLIFICACIÓN DEL FUTURO:

con el verbo IR + la preposición "A" + UN INFINITIVO (= ....AR, ER, IR)

Mañana, *yo voy* + *a* + estudi*ar*.

Yo voy a escuch*ar* la escena número 38.
Yo voy a contest*ar* las preguntas.
Voy a repet*ir* el vocabulario.
Voy a v*er* una película en la televisión.
Tú vas a cant*ar* una canción en español.
Usted va a sal*ir* con su amiga esta noche.
El turista va a visit*ar* la catedral de Burgos.
Nosotros vamos a vend*er* nuestro coche.
Ellos van a telefone*ar*.
Ustedes no van a contest*ar* en inglés.

ESCENA 38

SR. TIHUACÁN, HOMBRE DE NEGOCIOS

Juan *Escuche. No repita.*

Pedro	- Hoy es martes y escucho la escena 38.
Sr. García	- ¿Y la escena 37?
Pedro	- ¡Ya **he terminado** la escena 37!
Sr. García	- ¿Cuándo?
Pedro	- **Ayer,** lunes.
Sr. García	- ¡Ah! Sí, sí...
Pedro	- Y **mañana** martes, **vamos a escuchar** la escena 39.

Juan Ayer, la escena 37... Hoy, la escena 38

y mañana, la escena 39.

Repita: ayer, hoy, mañana.

Pedro **ha terminado** la escena 37.

Repita: yo he terminado,

él ha terminado,

nosotros **hemos terminado,**

ellos **han terminado.**

Repita: he, ha, hemos, han terminado.

Ahora *escuche*. Es lunes por la mañana,

y estamos otra vez en la oficina.

Pedro	- ¡María!
María	- ¿Sí?
Pedro	- ¿Tiene usted otra cita con su amigo el vendedor de discos esta noche?
María	- No, Pedro. No tengo cita con Alberto esta noche.
Pedro	- ¿Por qué no? ¿Alberto no está aquí? ¿No está en la ciudad? ¿Dónde está?
María	- ¡Pedro! Yo **no quiero contestar a todas sus preguntas...** ¡Y **quisiera saber** por qué usted me hace **tantas** preguntas!
Pedro	- Porque usted es **una buena amiga,** María.
María	- ¡Pero **usted quiere saberlo todo**!

Juan *Repita*: Pedro quisiera saber.

Pedro **quiere** saber.

Él hace muchas preguntas

porque quiere saber.

María	- ¡No quiero contestar!

Juan **¿Quiere ella contestar?**

Juanita - No, ella **no quiere contestar.**

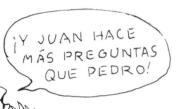

María	- Pero esta noche no **voy** al cine, no voy al restaurante ni a la ópera: **me quedo** en mi casa.
Pedro	- ¿Con Albertito?
María	- ¡Pedro, es usted **horrible**! Me quedo en mi casa **sola.**
Pedro	- ¿Sola, **solita**?
María	- Sí, **Pedrito.** ¡Solita!

Juan *Repita*: yo me quedo en casa.

Ella **se queda** en casa.

Repita **la forma negativa** de este **verbo:**

Yo **no me quedo** en casa.

Ella **no se queda** en casa.

Ahora *conteste:* ¿Se queda María en la oficina esta noche?

- No, María no se queda ...

Juanita - No, María no se queda en la oficina esta noche.

Juan ¿Se queda en su casa?

Juanita - Sí, se queda en su casa.

Juan *Escuche* ahora al director.

Sr. López	- Pues yo voy al restaurante con un cliente. María, por favor, conteste el teléfono por mí.
María	- Muy bien, Sr. López.

Juan *Conteste*: ¿A dónde va el Sr. López, al cine o al restaurante?

Juanita - Va al restaurante.

Sr. López	- Voy con un cliente muy **importante.**

Juan	¿Va con un amigo o con un cliente?
Juanita	- Va con un cliente.
Juan	¿Sabe usted cómo se llama **ese** cliente?
Juanita	- No, no sé cómo se llama ese cliente.
Juan	¿No sabe usted quién es?
Juanita	- No, no sé quién es.
Juan	¿Sabe usted el número de teléfono de ese cliente?
Juanita	- No, no sé el número de teléfono de ese cliente.
Juan	¿Sabe usted su dirección?
Juanita	- No, no sé su dirección.
Juan	Yo no sé si es inglés, francés, italiano, mejicano, **argentino, colombiano** o **venezolano...** ¿Sabe usted cuál es su **nacionalidad**?
Juanita	- No, no sé cuál es su nacionalidad.

Sr. García	- **Para saber** cuál es su nacionalidad, ¡escuche la escena 39!
Pedro	- ¿Ahora?
Sr. García	- No, ahora es muy tarde.
Pedro	- Entonces, mañana.
Sr. García	- Sí, mañana.

Juan Entonces, hasta mañana.

Juanita - Hasta mañana.

FIN DE LA ESCENA 38

EJERCICIO 38

I. ESTUDIE OTRO PRONOMBRE SUJETO: VOSOTROS (femenino: VOSOTRAS)*

– Tú, Pedro, hablas español. Y tú también, Alberto, hablas español.
Entonces, *vosotros habláis* español.
– Tú, María, hablas español. Y tú también, Carmen, hablas español.
Entonces, *vosotras habláis* español.

Otros ejemplos con verbos regulares:

.....AR:	(ESCUCHAR)	*Vosotros escucháis* las cassettes.
	(CONTESTAR)	*Vosotros contestáis* las preguntas.
	(ESTUDIAR)	*Vosotros estudiáis* el mapa de la ciudad.
	(EXPLICAR)	*Vosotros explicáis* la solución del problema.
	(OCUPAR)	*Vosotros ocupáis* la clase.
	(PASAR)	*Vosotros pasáis* por la calle.
	(TERMINAR)	*Vosotros termináis* a las seis de la tarde.
	(VISITAR)	*Vosotros visitáis* los palacios de Europa.
.....ER:	(APRENDER)	*Vosotros aprendéis* los verbos.
	(COMPRENDER)	*Vosotros comprendéis* la situación.
	(VENDER)	*Vosotros vendéis* máquinas electrónicas.
.....IR:	(ABRIR)	*Vosotros abrís* los libros para estudiar.
	(ESCRIBIR)	*Vosotros escribís* muchas cartas.

II. COMPLETE CON EL VERBO INDICADO:

1. COMPRAR: Vosotros ____________________ los periódicos en la calle.

2. MIRAR : Vosotras __________________ las fotos.

3. ENTENDER (= Comprender): Vosotros no __________________ ese problema.

* **NOTA:** "vosotros" y "vosotras" no se usan mucho en Hispanoamérica.

CORRECCIÓN

1. Vosotros *compráis* los periódicos en la calle.
2. Vosotros *miráis* las fotos.
3. Vosotros *no entendéis* ese problema.

ESCENA 39

¿CUÁL ES SU NACIONALIDAD?

Juan **Hemos escuchado** la escena 38 y ahora vamos a escuchar la escena 39.

No repita.

Pedro	- María, **dígame...** ¿quién es el cliente del Sr. López?
María	- ¿**Qué cliente**? Aquí hay muchos clientes.
Pedro	- Ese cliente **que** va al restaurante con el Sr. López.
María	- ¡Ah! Ése es **un hombre de negocios,** un "businessman" como dicen **los ingleses.**

Juan — Un hombre de negocios.

Conteste: ¿Es Pedro un hombre de negocios o un estudiante?

Juanita — - Pedro es un estudiante.

Juan — ¿Es María **una mujer de negocios** o una secretaria?

Juanita — - María es una secretaria.

Juan — ¿Es Alberto un hombre de negocios o un vendedor de discos?

Juanita — - Alberto es un vendedor de discos.

Pedro	- ¿Y cómo se llama ese cliente **tan** importante?
María	- Su apellido es: Tihuacán.

Juan — ¿Cómo se llama el cliente?

Juanita — - Se llama Tihuacán.

Juan	¿Tiene un apellido inglés o mejicano?
Juanita	- Tiene un apellido mejicano.

Pedro	- Es mejicano y yo sé de dónde viene: él viene **de** la ciudad de **Guadalajara.**
María	- Sí, es verdad: viene de Guadalajara pero ¿cómo **lo** sabe usted?
Pedro	- **Es que** el Sr. Tihuacán es un amigo.
María	- ¿Un amigo? ¿El cliente del Sr. López es **un amigo de usted**?
Pedro	- Bueno, ... es **un amigo de mi padre, un amigo de mi familia.**
María	- **¡Qué coincidencia**!

ES UN AMIGO DE MI FAMILIA
SE LLAMA TIHUACÁN, ES MEJICANO

Juan	¿Es francés o mejicano el cliente?
Juanita	- Es mejicano.
Juan	¿Viene de París o de Guadalajara?
Juanita	- Viene de Guadalajara.
Juan	¿Está Guadalajara en Méjico o en Francia?
Juanita	- Guadalajara está en Méjico.
Juan	El Sr. Tihuacán es **de** Méjico. ¿Y usted, señor, señora o señorita? ¿De dónde es usted? - Yo soy de ....
	¡Ah! Muy bien.
	El Sr. Tihuacán es mejicano. ¿Y usted? ¿Cuál es su nacionalidad, la nacionalidad de usted? - Yo soy ....

SU NOMBRE,
SU NACIONALIDAD
Y SU DIRECCIÓN

Si usted tiene teléfono, ¿cuál es su número de teléfono?

- Mi número de teléfono es: ....

¿Y cuál es su dirección?

- Mi dirección es: ....

¡Excelente! **Ha contestado** muy bien.

Ahora, *escuche* lo que **dicen** Pedro y María.

Pedro	- El Sr. Tihuacán es un hombre de nego-- cios mejicano **que** viene de Guadalajara.
María	- ¡Una ciudad muy **bonita**!
Pedro	- Sí. Usted, María, viene de **Barcelona**, ¿no?
María	- No, no, yo vengo de **Granada**.
Pedro	- ¿De Granada? ¡Ah! ¡Como la canción! "Granada, **tierra soñada por mí.** **Mi cantar se vuelve gitano** **cuando es para ti.**"
María	- ¡Pedro, por favor! ¡Aquí no estamos en la calle!
Pedro	- ¡Perdón!... ¿Y su amigo Alberto? ¿De dónde viene él?
María	- Él es de Madrid. Es **madrileño**.
Pedro	- ¿Y el director?
María	- ¿El Sr. López?
Pedro	- Sí, ¿de dónde viene?
María	- De **Valencia**.
Pedro	- ¡Ajá! "Valencia, la la, la la, la la, la la, ..."

Juan ¿De dónde viene el Sr. López?

Juanita - Viene de Valencia.

Juan ¿De dónde viene María? ¿De Córdoba o de Granada?

Juanita - Viene de Granada.

Juan ¿Y usted? ¿De dónde viene usted?

- Yo vengo de ....

Repita : ¿De dónde viene usted?

Por ejemplo: yo vengo de América,

nosotros **venimos** de América,

ustedes **vienen,** ellos y ellas vienen de

Europa.

FIN DE LA ESCENA 39

EJERCICIO 39

I. ESTUDIE EL PRESENTE DEL VERBO "QUERER" (irregular):

Con los pronombres sujetos del singular:
Yo quiero
Tú quieres

Usted quiere
Él quiere
Ella quiere

Con los pronombres sujetos del plural:
Nosotros queremos
Nosotras queremos
Vosotros queréis
Vosotras queréis
Ustedes quieren
Ellos quieren
Ellas quieren

EJEMPLO: Yo *quiero* un café con leche.
Pedro *quiere* un bolígrafo para escribir.

EJEMPLO CON UN INFINITIVO: Yo *quiero escribir* una carta.
María *no quiere contestar*.
Ustedes *quieren saber* la verdad.

II. COMPLETE LAS FRASES CON UNA PERSONA DEL VERBO "QUERER":

1. Nosotros no ______________ hablar de negocios.
2. ¿Qué ______________ tú?
3. El Romeo de Shakespeare ______________ a Julieta*, Don Quijote ______________ a Dulcinea, ¡y Alberto ______________ a María!

*** Verbo "querer" con la "a" personal.**

CORRECCIÓN

1. Nosotros no *queremos hablar* de negocios.
2. ¿Qué *quieres tú*?
3. El Romeo de Shakespeare *quiere a* Julieta. Don Quijote *quiere a* Dulcinea, ¡y Alberto *quiere a* María!

ESCENA 40

UN MENSAJE PARA EL DIRECTOR

Juan — *Escuche*.

Este hombre es japonés. Viene de **Tokio.**

Esta mujer es **alemana.** Viene de Berlín.

Repita: este hombre, esta mujer,

estos hombres, estas mujeres.

Repita: éste, ésta,

éstos, éstas...

o: ése, ésa, ésos, ésas.

Ese hombre, esa mujer,

esos hombres, esas mujeres.

Ahora *escuche*:

María — ¿Diga?... Sí, señor: aquí **se habla** español... No señor, el director no está. Yo soy su secretaria. Él viene a las tres... ¿Quién habla?... ¡Ah! ¡Usted es un amigo del señor López! ¿Cómo se llama usted?... Francisco Ortega... Muy bien. Tomo **el mensaje...** ... De nada, señor. Adiós.

Juan	*Repita*: un mensaje.
	Conteste: ¿Hay un mensaje para el director?
Juanita	- Sí, hay un mensaje para el director.
Juan	*Conteste*: ¿Quién toma el mensaje, Pedro o María?
Juanita	- María toma el mensaje.
Juan	¿Escribe María el mensaje?
Juanita	- Sí, María escribe el mensaje.
Juan	¿Escribe ella el mensaje en el libro de Pedro?
Juanita	- No, ella no escribe el mensaje en el libro de Pedro.
Juan	¿Escribe el mensaje en un papel?
Juanita	- Sí, escribe el mensaje en un papel.
Juan	Ahora, señor, señora o señorita, ¡**abra** usted el libro! ¡Sí, sí, abra su libro!
	¡**Eso es**! Y ahora, conteste:
	¿Hay **ejercicios** en su libro?
Juanita	- Sí, hay ejercicios en mi libro.
Juan	*Repita*: **un ejercicio.**

Conteste: ¿Son ejercicios de italiano o de español?

Juanita - Son ejercicios de español.

Sr. García	- Pedro, **siéntese** por favor.
Pedro	- Sí, señor.
Sr. García	- Abra su libro y **lea** el ejercicio de la escena número cuarenta.
Pedro	- Treinta y siete ... treinta y ocho ... treinta y nueve. ¡Ah! ¡Aquí está la escena número cuarenta! Y aquí está el ejercicio, en esta **página.**
Sr. García	- Bueno. ¡Vamos!
Pedro	- "EJERCICIO 40" ...

Juan *Repita*: ¡Por favor, abra el libro!

¡Por favor, lea el ejercicio!

¡Por favor, **escriba**!

Ahora *escuche* otros verbos en **el modo imperativo.** Éstos tienen **la letra "e"** al final. *Repita*:

¡Por favor, **cierre** el libro!

¡**Tome** la cassette!

Y ahora conteste:

¿**Estudia** usted los verbos?

- Sí, yo estudio ...

Juanita - Sí, yo **estudio** los verbos.

Juan ¿Hace usted los ejercicios **del** libro?

- Sí, yo **hago** ...

Juanita - Sí, yo hago los ejercicios del libro.

Juan *Repita*: Usted hace, él hace, ella hace los ejercicios.

Ustedes **hacen**, ellos hacen, ellas hacen los ejercicios.

Conteste: Pedro y el profesor hacen los ejercicios juntos, ¿verdad?

- Sí, ellos hacen ...

Juanita - Sí, ellos hacen los ejercicios juntos.

Pedro	- **Hacemos** muchos progresos, ¿No?
Sr. García	- ¡**Muchísimos**!

Juan ¿Y ustedes, señores, señoras y señoritas?, ¿ustedes también hacen progresos?

- Sí, nosotros también ...

Juanita - Sí, nosotros también hacemos progresos.

Sr. García	-	Ellos ya saben mucho **vocabulario** y mucha **gramática.**
Pedro	-	Pero ¿**qué importa** eso? ¿Qué es "vocabulario"?... ¿Qué es "gramática"? ¡**Lo que saben** es: **hablar, leer** y escribir!
Sr.García	-	¡Exacto, Pedro, exacto! **Lo importante** no es **la teoría;** lo importante es la **la práctica.**

YO SÓLO TENGO PRÁCTICA
¡LA TEORÍA NO ME IMPORTA!
¡VIVA LA PRÁCTICA!

FIN DE LA ESCENA 40

EJERCICIO 40

ESTUDIE OTRA VEZ EL IMPERATIVO DE LOS VERBOS REGULARES (Cf. Ej. 31):

ESCUCH*AR*		APREND*ER*	ABR*IR*
¡Escucha!	(tú)	¡Aprende!	¡Abre! (la puerta, etc.)
¡Escuche!	(usted)	¡Aprenda!	¡Abra!
¡Escuchemos!	(nosotros)	¡Aprendamos!	¡Abramos!
¡Escuchen!	(ustedes)	¡Aprendan!	¡Abran!

Ejemplo: ¡Ahora, muchachos y muchachas, *abran* sus libros, y *aprendan* los verbos! ¡*Estudien* el vocabulario y *hablen* claramente!

ESTUDIE EL IMPERATIVO DE DOS VERBOS REFLEXIVOS:

SENTARse (en una silla, etc.)

Ejemplos:
"Por favor, mamá, ¡*siéntate*!"
"Por favor, señor, ¡*siéntese*!"
"Ahora, todos nosotros, ¡*sentémonos*!"
"Por favor, señores, ¡*siéntense*!"

LEVANTARse (levantarse de la silla, levantarse de la mesa, ponerse de pie, etc.)

Ejemplos:
"Por favor, Pedrito, ¡*levántate*!"
"Por favor, señora, ¡*levántese*!"
"Ahora, todos nosotros, ¡*levantémonos*!"
"Por favor, señores, ¡*levántense*!"

ESCENA 41

UNA INVITACIÓN

Juan	*No repita.* Hoy es viernes. Son las seis de la tarde. En esta oficina, todo el mundo para **de trabajar** a las seis. **Todos los empleados terminan** a las seis de la tarde. Como ya son las seis y diez , todos **han terminado** y ahora, todos **salen** de la oficina.

Sr. López	- ¿María, viene usted a mi casa para **cenar** esta noche?
María	- Sí, señor, **con mucho gusto.** Vengo con mi amigo Alberto. **Usted conoce** a Alberto, ¿no?
Sr. López	- Sí, **conozco** a Alberto. Él viene a la oficina **de cuando en cuando...** ¿Tiene usted la dirección de mi casa?
María	- Sí, señor.
Sr. López	- Y usted, Sr. García, también viene, ¿verdad?
Sr. García	- Sí, a las ocho y media, con **mi señora.**
Sr. López	- ¿Tienen ustedes mi dirección?
Sr. García	- Sí.
Sr. López	- ¡**Estupendo**!
María	- ¿Y Pedro? ¿Viene también?
Sr. López	- Sí. Viene con su **padre** y con su **madre.** Bueno, ¡hasta luego!
María	- Hasta luego, Sr. López.

Juan	Esta noche, el Sr. y la Sra. García, María y su amigo Alberto, Pedro y **sus padres van a cenar a casa del Sr. López.**
	Conteste: ¿**Van** ellos al restaurante?
Juanita	- No, no van al restaurante.
Juan	*Repita*: todos van a cenar **a casa** del Sr. López.

Escuche. Ahora estamos en la casa del Sr. y la Sra. López. Ella está en **la cocina** y **prepara la cena** para esta noche.

Juan *Repita*: La Sra. López está en la cocina.

La Sra. López prepara la cena.

La cena es **la comida** de la noche.

La comida del **mediodía** se llama **el almuerzo** y la primera comida del día es **el desayuno.**

Conteste: ¿Cuántas comidas hay en un día, una, dos o tres? - En un día, hay ...

Juanita - En un día, hay tres comidas.

Juan *Conteste* : ¿Quién prepara la cena, el Sr. López o su señora?

Juanita - Su señora prepara la cena.

Juan ¿Cómo se llama **la esposa** del director, Sra. García o Sra. López?

Juanita - La esposa del director se llama Sra. López.

Sra. López	- Preparo la mesa para esta noche. Es una cena muy grande: **vienen** siete personas.
Otra señora	- ¿Siete invitados? ¡Son muchos!
Sra. López	- Sí.
La otra señora	- ¿**Quiénes** son?
Sra. López	- Son amigos y **empleados** de la oficina.

Juan *Conteste*: ¿Vienen muchos invitados?

Juanita - Sí, vienen muchos invitados.

Juan ¿Cuántos?

Juanita - Siete.

Sra. López - **En total,** con el Sr. López y yo, somos nueve: cinco **hombres** y cuatro **mujeres.**

Juan Cinco hombres: el señor López, el señor García,

Alberto, Pedro y su padre.

Cuatro mujeres: la señora López, la señora

García, María y la madre de Pedro.

Repita: hay cinco hombres y cuatro mujeres.

Repita: un hombre.

Una mujer.

Sra. López - Alberto y Pedro son **muchachos** y María es **una muchacha.**

Juan ¡Una muchacha muy **bonita**!

Juanita - ¡**Vamos,** Juan!

Juan *Escuche*.

Sra. López - Pedro viene con su padre y con su madre. María viene con su amigo Alberto y el Sr. García viene con su **mujer.**

¡SÍ, SÍ,
MUY BONITA.
"DEMASIADO"
BONITA!

Juan — *Conteste*: ¿Con quién viene María?

Juanita — - María viene con su amigo Alberto.

Juan — ¿Con quién viene el Sr. García?

Juanita — - El Sr. García viene con su mujer.

Juan — ¿ Y Pedro? ¿Viene solo?

Juanita — - No, no viene solo.

Juan — ¿Con quién viene?

Juanita — - Viene con su padre y con su madre.

- Viene con sus padres.

Sra. López	- Preparar una cena **tan** grande es mucho trabajo.

Juan — *Conteste*: ¿Tiene mucho trabajo la Sra. López?

Juanita — - Sí, tiene mucho trabajo.

Juan — ¿Tiene mucho trabajo en la cocina?

Juanita — - Sí, tiene mucho trabajo en la cocina.

Sra. López	- ¡Ah, **llaman a la puerta**! ¡Un momento, por favor! ¡Voy en seguida!

Juan — *Conteste*: ¿A dónde va la Sra. López, a la puerta o a la ventana?

Juanita — - Va a la puerta.

Sra. López	- ¡Sandy! ¡Sandy, **ven** aquí! ¡Ay!...¡Ese perro!

Juan	*Conteste*: ¿Como se llama el perro del Sr. y la Sra. López?
Juanita	- El perro del Sr. y la Sra. López se llama "Sandy".
Juan	¿Está el perro en la casa o en la oficina?
Juanita	- El perro está en la casa.
Juan	*Repita*: el perro se queda en la casa.

Sra. López	- ¡Sandy, **quédate** aquí! ¡**Quédate** aquí!...

FIN DE LA ESCENA 41

EJERCICIO 41

I. ESTUDIE LA DIFERENCIA ENTRE "SABER" Y "CONOCER".

SABER = estar informado de ... (estar al corriente de ...):

Yo sé tu nombre: Antonio.
tu apellido: Rizal.
tu dirección: Plaza de la Malagueta, 2
Málaga (Costa del Sol)
España.
tu número de teléfono: 21-24-88.
etc.

CONOCER a una persona, conocer un sitio (como una calle de la ciudad, un edificio familiar para mí), etc.:

Yo conozco	a una secretaria	un sitio turístico
	a María	un restaurante típico
	a un estudiante	el Museo de Antropología
	a Pedro	la avenida Simón Bolivar
	a un vendedor de discos	la calle de los Martirios
	a Alberto	la Plaza Mayor
	a un profesor	el cine Imperial
	al profesor, Sr. García	la catedral de Méjico
	al director, Sr. López	el parque de Chapultepec
Tú *conoces*	el Palacio Nacional	etc.

Usted *conoce* la gramática española (Una cosa familiar para mí.)
Nosotros *conocemos* la novela "Don Quijote" de Cervantes.
Los estudiantes *conocen* las palabras más importantes del idioma.

II. COMPLETE ESTE TEXTO CON "SABER" O "CONOCER":

Tú y yo ________________ a Alberto pero no ______________ su número de

teléfono. ¿Quién ________ su número de teléfono? ¿Lo __________ ustedes?

CORRECCIÓN

Tú y yo *conocemos* a Alberto pero *no sabemos* su número de teléfono. ¿Quién *sabe* su número de teléfono? ¿Lo *saben* ustedes?

ESCENA 42

¡BIENVENIDOS!

Juan — El Sr. y la Sra. García **llegan** a la casa de la Sra. López. Llegan con el Sr. López. Llaman a la puerta. La Sra. López abre la puerta y dice:

¡YO ME VOY!
¡NO ME GUSTA ESTAR CON TANTA GENTE!

Sra. López	- ¡Buenas noches, Sra. García! ¡Buenas noches, Sr. García! **¡Bienvenidos!** ¡Hola, Carlos!

Juan — "Carlos" es el nombre del Sr. López.

Sra. López	- ¡**Entren**! ¡Entren, por favor!

Juan — El Sr. García y la Sra. García **han llegado** a la casa. Ahora **entran** con el Sr. López.

Sra. López	- ¡Hola, Carlos!

Juan	*Conteste*: El Sr. Carlos López entra en su casa, ¿verdad? - Sí, ...
Juanita	- Sí, el Sr. Carlos López entra en su casa.
Juan	¿Entra solo o con amigos?
Juanita	- Entra con amigos.

SIÉNTENSE. EL SOFÁ ES MUY CÓMODO, MÁS CÓMODO QUE LAS SILLAS

Sra. López	- ¿Cómo está usted, Sr. García?
Sr. García	- Bien, gracias. ¿Y usted?
Sra. López	- Muy bien. **Vengan** por aquí y **siéntense:** aquí tienen sillas y **un sofá** muy cómodo. ¡Por favor, **siéntense**!
Sra. García	- ¡Sra. López, su casa es muy bonita!
Sra. López	- Gracias. No es muy grande pero es cómoda.

Juan	*Repita*: ¡Por favor, siéntense!

Sr. López	- Hay sillas pero el sofá es **más** cómodo. ¡Por favor, siéntense en el sofá!

Juan *Repita*: Es más cómodo.

Es más grande y más cómodo.

Sra. López	- ¿**Un cóctel**? ¿**Un aperitivo**?
Sr. García	- Sí, **con mucho gusto.**
Sra. López	- ¿Y usted, Sra. García? ¿**Toma usted algo**? ¿Un cóctel? ¿Un aperitivo?
Sra. García	- No, para mí, **nada,** gracias.
Sr. López	- ¿No toma usted nada?
Sra. García	- No, **antes de comer,** yo **no** tomo **nada.**

Juan	*Repita*: un aperitivo.
	Conteste: ¿Toma un aperitivo la Sra. García?
Juanita	- No, ella no toma aperitivo.
Juan	¿Toma **whiskey**?
Juanita	- No, no toma whiskey.
Juan	¿Toma **vodka**?
Juanita	- No, no toma vodka.
Juan	¿Toma **sangría**?
Juanita	- No, no toma sangría.
Juan	*Repita*: ella no toma nada.

¡ALGUIEN LLAMA!

Sra. García	- Nada. Nada **en absoluto.**
Sr. Lopez	- ¿**De verdad**?
Sra. García	- Sí, de verdad.
Sra. López	- ¡Carlos, el teléfono! ¡Contest**a** el teléfono! ¡Yo estoy ocupada en la cocina!...
Sr. López	- Sí, sí, ya voy... **Con permiso.**
Sr. y Sra. García	- Sí, claro. **¡Cómo no!**

Juan	*Repita*: con permiso.
	Conteste: ¿Llaman a la puerta?
Juanita	- No, no llaman a la puerta.

Sr. López	- ¡Ya voy!

Juan ¿Quién va al teléfono?

Juanita - El Sr López va al teléfono.

Juan *Repita* : el Sr. López **va a contestar** el teléfono.

¡Y nosotros **vamos a parar** la cassette porque esta escena ya es muy **larga**!

Juanita - ¡**Larguísima**!

FIN DE LA ESCENA 42

EJERCICIO 42

I. ESTUDIE LOS COMPARATIVOS

1) de superioridad: MÁS + adjetivo (o adverbio) + QUE

Ejemplos: El sofá es *más* cómodo *que* la silla.
La gramática es *más* difícil *que* el vocabulario.
María escribe *más* rápidamente *que* Pedro.

---

2) de inferioridad: MENOS + adjetivo + QUE

Ejemplos: Los ejercicios son *menos* interesantes *que* las escenas.
La gramática es *menos* divertida *que* el vocabulario.

---

3) de igualdad: TAN + adjetivo + COMO

Ejemplos: ¡Pero la gramática es *tan* importante *como* el vocabulario!
El ejercicio 42 no es *tan* divertido *como* la escena 42.
La escena 42 no es *tan* larga *como* la escena 41
(o: La escena 42 es más corta que la escena 41).

II. COMPLETE LAS FRASES:

Puerto Rico es ______________ pequeño ___________ Venezuela.

La ciudad de San Juan no es tan grande ______________ Caracas.

CORRECCIÓN

Puerto Rico es *más* pequeño *que* Venezuela.
La ciudad de San Juan no es *tan* grande *como* Caracas.

ESCENA 43

¿QUIÉN HA TELEFONEADO?

Sr. López - ¿Diga? ¿Cómo? ...¡**No entiendo**! ...¿Quién habla? ...**No entiendo nada.** ¿Quién? ... ¡Ah, ... es usted, Pedro! ... ¿Que no tiene mi dirección? ... **Pues** escuche, Pedro: no hay **problema;** ¿Tiene usted su bolígrafo? ¿Sí? Entonces **tome** un papel y **escriba** mi dirección. Es: **calle Bolívar**, 16. ¿Viene usted en seguida? ... ¿Con su padre y con su madre?... ¡**Estupendo**! Hasta **pronto.**

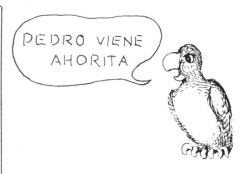

Juan *Repita*: Pedro **ha llamado** por teléfono.

Juanita - Pedro ha llamado por teléfono.

- Pedro ha **telefoneado.**

Juan ¿Y quién ha **contestado**?

Juanita - Ha contestado el Sr. López.

Juan *Escuche* el verbo en **el presente** y en **el pasado** y repita: Pedro llama... Pedro ha llamado.

Pedro escucha... Pedro ha **escuchado.**

El Sr. López contesta... El Sr. López ha contestado.

Juanita - ¡Yo también contesto las preguntas!...

Yo contesto... Yo **he** contestado.

	Hablo español... He **hablado** español.
Juan	Pedro y el Sr. López **han** hablado.
	Han hablado, han escuchado, han contestado.
	Pedro, su padre y su madre han **llegado.**
	Han llegado a la casa del Sr. López.

Sr. López	- ¡Buenas noches! ¡Entren!
Pedro	- Sr. López, **le presento** a mi padre y a mi madre.
Sr. López	- ¡**Encantado**!
La madre de Pedro.	- ¡**Encantada**!
El padre de Pedro.	- ¡**Mucho gusto,** Sr. López!

Juan	¿Son éstos los padres de Pedro o de María?
Juanita	- Éstos son los padres de Pedro.
	- Son los padres de Pedro.
Juan	*Escuche.* Ahora el Sr. López **presenta** a **los otros** invitados:

Sr. López	- **Ésta** es mi esposa.
Los padres de Pedro.	- Mucho gusto, Sra. López.
Sr. López	- Y **éste** es el profesor de Pedro: Sr García.
Los padres de Pedro.	- ¡Ah!... Mucho gusto, Sr. García.
Pedro	- ¿Pero dónde está María?
Sr. López	- María y Alberto no han llegado.
Pedro	- ¿**Todavía** no han llegado? ¡Pero ya es muy tarde! No entiendo.

Juan Para **saber** dónde están Alberto y María,

¡**vamos** a **la calle**!

Allí están ellos todavía.

Repita: **llueve.**

Esta noche llueve mucho.

María	- Alberto, ¡**mire** cómo llueve!
Alberto	- Sí, llueve mucho pero tengo **un paraguas.**
María	- ¿Y ... su paraguas es **bastante** grande para **los dos**?
Alberto	- ¡**Claro que sí**!
María	- ¡Pues **ábra**lo! Ábralo **pronto.**
Alberto	- ¡**Ya está**!
María	- Hay mucho **viento.** ¡**Cuidado** con el paraguas!
Alberto	- Llueve demasiado: **voy a llamar** un taxi. ¡Taxi!
María	- Ahí viene uno.

Juan *Repita*: Alberto toma un taxi con María.

¿Toma **un autobús**?

Juanita - No, no toma un autobús.

Juan ¿Toma **el tren**?

Juanita - No, no toma el tren.

Juan ¿Toma el avión?

Juanita - No, no toma el avión.

Juan ¿Qué toma, una bicicleta o un taxi?

Juanita - Toma un taxi.

Juan ¿Con quién?

Juanita - Con María.

Juan *Escuche. No repita.*

Alberto y María no **toman** el avión

ni el tren **ni** el autobús: ellos toman

un taxi... Ahora ya están delante de la casa del Sr. y la Sra. López.

Conteste: ¿Han llegado?

Juanita - Sí, han llegado.

Juan ... Y nosotros **hemos llegado** al final de esta escena. ¡Adiós!

Juanita ¡Hasta **pronto**!

FIN DE LA ESCENA 43

EJERCICIO 43

I. ESTUDIE EL VOCABULARIO DE LA FAMILIA:

El abuelo y *la abuela* de Pedro

El padre y *la madre* de Pedro — *El tío* de Pedro y *la tía* de Pedro

Los niños: — *El primo* de Pedro; *la prima* de Pedro

El hijo: Pedro (*el hermano* de Teresa)
La hija: Teresa (*la hermana* de Pedro)

II. ESTUDIE: "ALGO" Y "NADA"

– Yo escribo *algo* en español (¡Escribo las frases de los ejercicios!).
– Yo *no* escribo *nada* en inglés (¡Aquí, sólo escribo en español!).

– ¿Hay *algo* en la mesa? ¿Un libro? ¿Un papel? ¿Un bolígrafo?... ¿ALGO?
– No. *No* hay *nada* en la mesa. No hay absolutamente NADA.

– La señora García come mucho, pero no bebe vino, no bebe sangría, no bebe champán: ella *no* bebe *nada*.
– Yo miro por la ventana, pero no veo coches, no veo bicicletas: yo *no* veo *nada*.
– Yo escucho la cassette, pero *no* oigo* *nada* durante la "pausa de cinco segundos": no oigo música, no oigo teléfonos, no oigo máquinas de escribir... *No* se oye *nada* entre dos escenas. ¡Nada ... más que el metrónomo! (¡Siempre el mismo metrónomo!)

III. COMPLETE ESTE DIÁLOGO:

– ¿Quiere usted tomar ____________ de beber?

– No, gracias: no quiero tomar _______ .

* **NOTA: Yo oigo, tú oyes, usted oye, nosotros oímos, ustedes oyen es el verbo OÍR** (Cf. Ejercicio 44).

CORRECCIÓN
¿Quiere usted tomar *algo* de beber?
No, gracias: no quiero tomar *nada*.

ESCENA 44

FLORES PARA LA SEÑORA DE LA CASA

Sra. López	-	¡Ah! Llaman a la puerta. ¡Sandy, **quieto**! Son Alberto y María. ¡**Por fin**!
Alberto	-	Estas **flores** son para usted, Sra. López.
Sra. López	-	¡Oh, muchas gracias! Las flores **me gustan** mucho. ¡Y éstas son **rosas**! Las rosas son mis flores **favoritas. ¡Gracias, Alberto; gracias, María, por la atención**!
Alberto	-	Esto no es nada, Sra. López.
Sra. López	-	Para mí, es mucho: es una atención muy **delicada.** Gracias.

Juan	*Repita*: **una flor,** muchas flores.
	Alberto **da** flores a la Sra. López.
	Alberto y María **dan** flores a la Sra. López.
	Conteste: ¿Qué flores dan a la Sra. López, **margaritas** o rosas?
Juanita	- Dan rosas a la Sra. López.
Juan	Ellos dan rosas **a la Sra. López.**
	Repita: Ellos **le** dan rosas.

Sr. López	- Bueno. Ya **estamos** todos aquí.
Sra. López	- Entonces, ¡**a cenar**!
María	- Alberto, **venga.**
Alberto	- En seguida.
Sra. López	- Pedro, venga. ¡**Vamos a cenar**!

Juan	*Repita*: Vamos a cenar.
	La Sra. López **dice:** "¡Vamos a cenar!"

Sra. López	- Usted, Sra. García, siéntese aquí, por favor. Usted, Sr. García, siéntese aquí, **a la derecha.** Pedro, aquí, **a la izquierda.** Alberto y María, siéntense aquí. Los padres de Pedro, aquí. Carlos, **tú**, aquí, delante de mí; y yo, aquí.

Juan *Conteste*: Ahora, ¿cómo están todos, **sentados** o de pie?

Juanita - Están sentados.

Juan La mesa es muy grande, ¿verdad?

Juanita - Sí, la mesa es muy grande.

Juan *Repita*: El Sr. García está sentado a la derecha.

Pedro está a la izquierda.

Juan ¿Y usted? ¿Ahora está usted sentado o de pie?

Conteste: - Ahora yo estoy ...

Juanita - Ahora yo estoy sentada.

Juan Yo estoy sentado.

Sr. López	- ¿Un poco de **vino**, Sr. García?
Sr. García	- Sí, **con mucho gusto.** Gracias.

Juan *Repita*: El Sr. García **bebe** vino.

Conteste: ¿Bebe vino o bebe **Coca-Cola**?

Juanita - Bebe vino.

Sr. López	- ¿Vino **blanco** o vino **tinto**?
Sr. García	- Tinto, por favor.¡Mmm,... este vino es **buenísimo**!
Sra. García	- ¡Y la comida también es **buenísima,** Sra. López! **La paella** es buenísima.
Sra. López	- Gracias.

Juan — *Repita* : todo el mundo bebe y **come.**

¿Qué **beben** los invitados, vino o **cerveza**?

Juanita — - Beben vino.

Juan — ¿Qué **comen,** paella o **bisté**?

Juanita — - Comen paella.

Juan — *Conteste* : la paella es **una comída típica,**

¿no?

Juanita — - Sí, la paella es una comida típica.

Juan — *Repita* : la paella es **un plato típico.**

Conteste : ¿Dónde comen **estas personas,** en un restaurante o **en casa de amigos**?

Juanita — - Comen en casa de amigos.

Sra. García	- Esta paella **me gusta** mucho.
Sr. García	- Y **a mí me gusta** mucho este vino.
Sr. López	- Es un vino de Rioja.

¡SANDY ES INSOPORTABLE!

Juan — *Repita* : la paella me gusta.

También me gusta **la ensalada.**

Y **las frutas** también me gustan.

Pedro	- **Yo prefiero** el chocolate.
Sra.López	- ¡Sandy! ¡Sandy! ¡Ah! El perro está **debajo de** la mesa.
Sr. López	- Ay! ¡ **Ese perro** es **insoportable**!

Juan — *Repita* : el perro está debajo de la mesa.

Conteste : ¿Dónde está Sandy, encima de la mesa o debajo de la mesa?

Juanita — - Está debajo de la mesa.

Juan — *Escuche*. Ahora **se habla de**l perro.

ESTOY ENCIMA DE LA MESA
Y YO, DEBAJO DE LA MESA

PREFIERO LOS GATOS
PEQUEÑITOS

Sra. López	- Ese perro es insoportable.
María	- No, no, no: Sandy es muy bueno. A mí me gustan todos los perros. ¡Sandy!
Sra. García	- A mí también me gustan ... pero prefiero los gatos. En la casa **tenemos** un perro y dos gatos.
Sra. López	- ¿Ah, sí?
Pedro	- ¿Cómo se llaman?
Sra. García	- Nuestro perro se llama Rintintín y nuestros gatos se llaman Félix y César.

Juan *Conteste*: ahora no se habla de trabajo,

¿verdad? - No, ahora no se habla ...

Juanita - No, ahora no se habla de trabajo.

Juan Se habla de perros y de gatos, ¿no?

- Sí, se habla de ...

Juanita - Sí, se habla de perros y de gatos.

Juan *Repita*: esta noche, no se habla de negocios.

Escuche. No repita.

María	-	**¡Escuchen! ¿Saben ustedes** qué día es hoy? ¿Lo saben?
Todos juntos	-	¿Qué día es?
María	-	¡Hoy es **el 4 de abril**!
Todos juntos	-	¿Y **qué hay de particular** el 4 de abril?
María	-	El 4 de abril es **el aniversario de matrimonio** del Sr. y la Sra. López.
Todos juntos	-	¿De verdad?
Sra. López	-	Sí.
Sr. López	-	Es nuestro **décimo** aniversario de matrimonio.
Alberto	-	¡Diez años de matrimonio!
Todos juntos (**menos** el Sr. y la Sra. López)	-	¡Feliz aniversario!
Alberto	-	**Bebo** a su **salud.**
Sr. García	-	**¡Salud!**
María	-	¡Salud!
Sr. López	-	**¡Un momento! Esperen** un momento: para **celebrar esta ocasión,** voy a **abrir una botella de champán.**

Juan *Repita*: una botella de champán.

Conteste: ¿Quién abre la botella, María o el Sr. López?

Juanita - El Sr. López abre la botella.

Juan	*Repita*: Ahora todos beben champán.

Sr. García	- ¡Mmm... Qué bueno es!

Juan	¿Cómo es el champán?
Juanita	- Es bueno.

Alberto	- ¡Diez años de matrimonio!
Sr. López	- Y aquí tengo **un regalo** para **celebrar** nuestro aniversario. Es un regalo para mi **querida** esposa.
Sra. López	- ¿Para mí? ¡Oh, Carlos!... ¿Qué es?
María	- ¡Ábra**lo,** Sra. López!
Pedro	- ¡Sí, ábralo!

Juan	*Conteste* : ¿Hay un regalo para la Sra. López?
Juanita	- Sí, hay un regalo para ella.
Juan	¿Quién da el regalo a la Sra. López?
Juanita	- El Sr. López da el regalo a la Sra. López.
Juan	*Repita* : El director da un regalo a su esposa.
	El director **le** da un regalo.

Sra. López	- Pero ¿qué es?
Sr. López	- Es ... **una sorpresa.**
María	- Abra el regalo, Sra. López.
Pedro	- ¿Son chocolates? ¿Es **una caja** de chocolates?
Sra. López	- No sé... **Espere** un minuto... No, no son chocolates.
Pedro	- ¡**Qué lástima**! ¡A mí que me gustan **tanto**!
Sra. López	- ... Pero es una caja.
Pedro	- ¿Una caja de **caramelos**?
Sra. López	- No...
Pedro	- ¡Qué lástima: los caramelos también me gustan!
Sra. López	- Es una caja de ... música.
Pedro	- ¡Oh!

¡QUÉ CAJA DE MUSICA TAN BONITA!

FIN DE LA ESCENA 44

EJERCICIO 44

I. ESTUDIE EL VOCABULARIO DE LAS COMIDAS:

El desayuno: café con leche (o té) y pan con mantequilla.
El almuerzo: pescado, carne, legumbres, ensalada, queso, postre, vino, café (y para *la cena* también + la sopa.)

II. ESTUDIE LOS VERBOS EN EL PRESENTE:

Yo *escucho* la radio, y ahora *oigo* música moderna.
Yo *miro* la televisión, y ahora *veo* una película argentina.

ESCUCHAR ———	OÍR	MIRAR ———	VER
yo escucho	oigo	miro	veo
tú escuchas	oyes	miras	ves
él escucha	oye	mira	ve
nosotros escuchamos	oímos	miramos	vemos
vosotros escucháis	oís	miráis	véis
ellos escuchan	oyen	miran	ven

III. ESTUDIE LOS MISMOS VERBOS EN EL PASADO (Cf. Ej. 16):

he escuchado	he oído	he mirado	he visto*
has escuchado	has oído	has mirado	has visto
ha escuchado	ha oído	ha mirado	ha visto
hemos escuchado	hemos oído	hemos mirado	hemos visto
habéis escuchado	habéis oído	habéis mirado	habéis visto
han escuchado	han oído	han mirado	han visto

"*Escuchado*", "*mirado*", "*cantado*", "*bailado*", etc. (para los verbos en "AR") son PARTICIPIOS PASADOS. Otros participios pasados: "*traído*", "*comprendido*", "*entendido*" (para los verbos en "ER") y "*repetido*", "*oído*", "*leído*" (para los verbos en "IR".)

*** NOTA:** "Visto" es un participio pasado irregular.
Otros verbos tienen participios pasados irregulares:
ABRIR: He *abierto* la puerta.
ESCRIBIR: Tú has *escrito* muchas cartas.
DECIR: Él ha *dicho* la verdad. HACER: Nosotros hemos *hecho* un error.
PONER: ¡Ustedes no han *puesto* el teléfono en la silla sino en la mesa!

ESCENA 45

EL CONCIERTO

Sra. López	- ¡Qué **bonita** es mi caja de música! ¡**Qué bonita**! Gracias, Carlos. Gracias por este regalo **tan bonito.**

Juan — *Conteste* : ¿Es bonito el regalo?

Juanita — - Sí, es bonito.

Juan — Es una caja muy bonita, ¿verdad?

Juanita — - Sí, es una caja muy bonita.

Juan — *Repita* : bonito - bonita.

Sr. López	- Esta **cajita** de música, ¿**saben ustedes de dónde** viene? Viene de la tienda de Alberto. Él vende muchos discos pero también vende cajas de música, como ésta.

Juan — *Escuche. No repita.*

Hoy, día 4 de abril, es **el presente.**

Ayer, día 3 de abril, es **el pasado.**

El presente y el pasado. Hoy y ayer.

Ayer, Alberto **vendió** la caja de música

al Sr. López.

Ayer, el Sr. López **compró** la caja.

Repita : Alberto ha vendido o: Alberto vendió.

El Sr. López ha comprado o:

El Sr. López compró.

Repita el pasado de los verbos: él vendió,

él compró.

Repita el presente de los verbos: él compra,

él vende.

María	- El Sr. López compró este regalo para su esposa ayer.
Pedro	- Sr. López, ¿compró usted también discos en la tienda de Alberto?
Sr. López	- No, sólo la caja de música.
Sra. López	- Está muy bien, Carlos: en esta casa ya tenemos **demasiados** discos.

Juan — Hoy, el Sr. López no compra discos.

Ayer, el Sr. López no compró discos.

Repita: hoy no compra - ayer no compró.

Ayer, el Sr. López no compró discos.

	Conteste: ¿Qué compró?
Juanita	- Compró una caja de música.
Juan	¿Compró la caja para su esposa o para su secretaria?
Juanita	- Compró la caja para su esposa.
Juan	¿Cuándo compró este regalo, **la semana pasada** o ayer?
Juanita	- Compró este regalo ayer.
Juan	¿Dónde compró el regalo?
Juanita	- Compró el regalo en la tienda de Alberto.

Sra. López	- Alberto, esta caja de música (que usted **le vendió** a mi esposo) es muy bonita. Me gusta mucho.

Juan	*Conteste*: ¿Quién vendió la caja?
Juanita	- Alberto vendió la caja.
	- Alberto la vendió.
	- La vendió Alberto.
Juan	Y hoy, el Sr. López da la caja **a su esposa:**
	el Sr. López **le** da la caja.
	Le da la caja para su aniversario.
	Él no le **dio** la caja ayer: le da la caja hoy.

Escuche. No repita.

Sr. López	- Yo tomo **un café** después de la cena.
Sra. López	- ¿Y usted, Sr. García? ¿Toma usted un café?
Sr. García	- Sí, con mucho gusto.
Sra. López	- ¿Y usted, Sra. García?
Sra. García	- No, gracias. Yo **he comido** y **he bebido** demasiado.
Pedro	- A mí **me gustaría tomar** un chocolate.
La madre de Pedro	- ¡Pedro!

Juan

Repita: Me gustaría tomar un café.

Me gustaría tomar **un té.**

A Pedro le gustaría tomar un chocolate.

... Y ¿a usted, qué le gustaría tomar?

Conteste: - A mí me gustaría tomar ....

Muy bien.

Sr. López - ¿Dónde están mis **cigarillos**? ¡Ah, aquí están!
Sra. López - Carlos **fuma** demasiado. Eso no es bueno para la salud.
Sr. López - Alberto, ¿**un cigarillo**?
Alberto - No, gracias: **no fumo.**

CON EL CAFÉ,
A MÍ ME GUSTA
COMER... CACAHUETES

Juan ¿Fuma Alberto?

Juanita - No, Alberto no fuma.

Juan ¿Y usted? *Conteste*: ¿Fuma usted?

Juanita - Sí, fumo

o: no, no fumo.

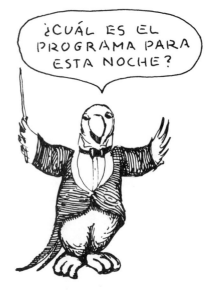

Sra. López - ¿A ustedes **les** gusta la música clásica?
Todos los invitados, juntos - ¡Oh, sí! **Nos** gusta mucho.
Sr. López - ¿Les gustaría escuchar **un poco de** música? Mi esposa **toca la guitarra.**

¿CUÁL ES EL
PROGRAMA PARA
ESTA NOCHE?

Juan ¿La Sra. López toca el piano o la guitarra?

Juanita - Toca la guitarra.

Alberto - ¿De verdad, Sra. López? ¿Toca usted la guitarra?
Sra. López - Sí, **un poquito.**
María - ¡**Estupendo**! Por favor, Sra. López, **toque** algo.
Sra. López - De acuerdo.
Pedro - ¿Tiene usted una guitarra **eléctrica**?
Sra. López - No, Pedro, no es eléctrica.
Sr. López - Para **escuchar** este **concierto,** vamos al **salón.**
Sra. López - Sí, **allí** estamos más cómodos.

Juan	¿La Sra. López toca música americana o música española?
Juanita	- Toca música española.
Juan	¿Toca en el teatro de la ópera o toca en su casa?
Juanita	- Toca en su casa.
Juan	¿Toca en la cocina o en el salón?
Juanita	- Toca en el salón.

Sra. López	- Yo no soy **profesional: toco** aquí, en mi casa, para **mis amigos.**
Alberto	- ¡Pero usted toca muy bien, Sra. López!
El padre de Pedro	- Sí, es verdad: toca **maravillosamente.**

Juan ¿Cómo toca? ¿Bien o mal?

Juanita - Toca bien.

Juan Toca maravillosamente.

Y usted **ha contestado** maravillosamente también.

Juanita - Para **terminar** esta escena, **escuchemos** ahora a la Sra. López y su **programa** de guitarra clásica española...

FIN DE LA ESCENA 45

EJERCICIO 45

Antes de leer esta página, vea otra vez los ejercicios 29 y 30 (para los pronombres) y también los ejercicios 31 y 40 (para el Imperativo).

ESTUDIE LA POSICIÓN DE LOS PRONOMBRES OBJETOS cuando el verbo está en el IMPERATIVO AFIRMATIVO.

Usted toma *el libro*	= Usted *lo* toma →	Por favor,	¡tóme*lo*!
Usted toma *la carta*	= Usted *la* toma.		¡tóme*la*!
Usted toma *los libros*	= Usted *los* toma.		¡tóme*los*!
Usted toma *las cartas*	= Usted *las* toma.		¡tóme*las*!

En el Imperativo afirmativo, los pronombres objetos se ponen después del verbo.

Usted abre *el libro*	= Usted *lo* abre →	Por favor,	¡ábra*lo*!
Ustedes hablan *este idioma*	= Usted *lo* habla.		¡hábl*elo*!
Usted aprende *la lección*	= Usted *la* aprende.		¡apréndа*la*!
Usted lee *los periódicos*	= Usted *los* lee.		¡léa*los*!
Ustedes venden *sus casas*	= Ustedes *las* venden.		¡véndan*las*!
Usted escribe a *su amigo*	= Usted *le* escribe →		¡Escríba*le*!
Usted escribe a *su amiga*	= Usted *le* escribe.		¡Escríba*le*!
Usted escribe a *sus amigos*	= Usted *les* escribe.		¡Escríba*les*!
Ustedes escriben a *sus amigas*	= Ustedes *les* escriben.		¡Escríban*les*!
	Usted *me* escucha →		¡Escúche*me*!
	Usted *me* contesta.		¡Contéste*me*!
	Usted *me* mira.		¡Míre*me*!
	Usted *nos* mira.		¡Míre*nos*!
	Usted *nos* habla.		¡Háble*nos*!
Y con los verbos REFLEXIVOS:	Usted *se* sienta →		¡Siénte*se*!
(Cf. Ejercicio 24)	Nosotros *nos* levantamos		¡Levantémo*nos*!

NOTA: Cuando el verbo está en el Imperativo NEGATIVO, la posición del pronombre objeto es la misma que en el PRESENTE negativo (Cf. Ej. 46).

ESCENA 46

¿QUÉ TIEMPO HACE?

Sr. García	- ¡Oh, ya son las once!
Sra. García	- ¿Las once? ¿Ya?
El padre de Pedro	- Sí: ya es hora de **volver** a casa. Adiós, Sr. López. Adiós, Sra. López. Gracias por **todo.** ¡**Vámonos,** Pedro!
María	- Nosotros también **nos vamos.** Alberto, por favor, **mire por la ventana** para **ver** si llueve.
Alberto	- Ahora no llueve. **Hace buen tiempo.**

Juan *Repita* : Alberto va a la ventana

y **mira** por la ventana

para ver si llueve.

La madre de Pedro - ¿Qué tiempo hace?
Alberto - Hace buen tiempo. Ya no llueve.
La madre de Pedro - Entonces, ¡vámonos!
Pedro - Pero ... ¡**hace frío**!¡Brrr!...
La madre de Pedro - No, Pedro: no hace frío, **no hace calor,** no llueve. Hace un tiempo **espléndido...** Y ya es hora de volver a casa. ¡Vámonos!

Juan *Repita la pregunta:* ¿Qué tiempo hace?

Juanita *Repita la contestación*: - Hace buen tiempo.

Juan *Conteste*: ¿Hace frío?

Juanita - No, no hace frío.

Juan ¿Hace calor?

Juanita - No, no hace calor.

Juan ¿Llueve?

Juanita - No, no llueve.

Juan *Repita la pregunta y la contestación:*

¿Llueve **todavía**? - No, **ya** no llueve.

¡QUÉ BUENO ESTÁ EL TIEMPO!

Alberto	- Vámonos.
María	- ¿En taxi?
Alberto	- No, **a pie** : ya no llueve. **El tiempo** está muy bueno: no hace frío y no hace calor.

Juan *Repita* : **No** hace **ni** frío **ni** calor.

Ni frío ni calor.

Conteste : ¿Cómo **van** ellos, en taxi o a pie?

Juanita - Van a pie.

Alberto	- Buenas noches, Sr. López. Buenas noches, Sra. López. Gracias por la cena y por el concierto.
Sra. López	- Gracias a ustedes **por haber venido.**
Los padres de Pedro	- Gracias, y adiós.
Sr. López	- Adiós.
María	- Hasta mañana, Sr. López.
Sr. López	- Sí, **mañana es otro día ...** y tenemos **mucho que hacer** en la oficina. Hasta mañana, María.

Juan

Repita: Mañana es sábado.

La oficina está **abierta** de nueve a doce.

Desde las nueve **hasta** las doce.

No está abierta **por la tarde.**

Sólo está abierta **por la mañana.**

Conteste: ¿A qué hora abre la oficina, a las siete **de la mañana** o a las nueve de la mañana ?

Juanita - La oficina abre a las nueve de la mañana.

Juan ¿A qué hora cierra el sábado, a las doce o a las seis **de la tarde?**

Juanita - Cierra a las doce.

Juan ¿Y el domingo? ¿Está abierta la oficina el domingo?

Juanita - No, no está abierta el domingo.

Juan Recapitulación: ¿Cuántos días hay en una semana? - En una semana, hay ...

Juanita - En una semana, hay siete días.

Juan *Escuche. No repita.*

En una semana, hay siete días.

En **un año,** hay doce **meses.**

Los meses del año son: **enero, febrero, marzo, abril, mayo, junio, julio, agosto, septiembre, octubre, noviembre, diciembre.**

Ahora *conteste:* ¿Cuántos meses hay?

- Hay ...

Juanita - Hay doce meses.

Juan *Repita los meses del año:*

Enero, febrero, marzo,

abril, mayo, junio,

julio, agosto, septiembre,

octubre, noviembre, diciembre.

Conteste: ¿Cuál es **el primer mes** del año, enero o febrero?

- El primer mes del año es ...

Juanita - El primer mes del año es enero.

Juan ¿Cuál es **el segundo mes** del año, febrero o marzo?

Juanita - El segundo mes del año es febrero.

Juan ¿Cuál es **el tercer mes** del año?

Juanita - El tercer mes del año es marzo.

Juan *Repita*: Diciembre es **el último** mes del año.

El último mes.

La última cassette.

Conteste: ¿Es ésta la última cassette del programa? - Sí, ésta es ...

Juanita - Sí, ésta es la última cassette del programa.

Pedro	- La última cassette, sí... ¡pero no la última escena!

Juan — *Conteste*: ¿Quién es este muchacho?

Juanita — - Es Pedro.

Juan — Pedro es un muchacho de quince años.

Repita la pregunta:

¿Cuántos años **tiene** Pedro?

Repita la contestación:

- Pedro tiene quince años.

Pedro	- ¡No, no, no: ahora yo tengo diecisiete años!
María	- Y yo tengo veinte años.

Juan — ¿Cuántos años tiene María?

Juanita — - María tiene veinte años.

Alberto	- Y yo tengo dos años **más que** María: tengo veintidós años.

Juan — ¿Cuántos años tiene Alberto?

Juanita — - Alberto tiene veintidós años.

María	- El Sr. García y el Sr. López, ¡no sé cuántos años tienen!
Pedro	- ¡Muchos!
María	- ¡Pedro!

Juan — *Repita* : no **sabemos** cuántos años tienen.

No sabemos qué **edad** tienen.

Yo no sé qué edad tiene Juanita.

¡Venga!... Vamos a **preguntar** a Juanita qué edad tiene. Vamos a preguntar**le** qué edad tiene.

Juan	- Juanita, **dígame...**
Juanita	- ¿Sí?
Juan	- ¿Qué edad tiene usted?
Juanita	- ¿Cómo?
Juan	- ¿Qué edad tiene? ¿Cuántos años tiene?
Juanita	- **No voy a decirlo,** Juan. Usted es muy **indiscreto.**
Juan	- Perdón, perdón...

Juan — ¿Sabe la gente qué edad tiene Juanita?

- No, la gente no sabe ...

Juanita — - No, la gente no sabe qué edad tiene Juanita.

Juan — La gente no **lo** sabe.

Ni usted, **ni** yo, **ni** Pedro, **ni** María, **ni** Alberto... **Nadie** sabe qué edad tiene Juanita. *Repita*: Nadie lo sabe.

Pedro	- ¿Lo sabe **alguien**?
María	- No, no lo sabe nadie.

AQUÍ HAY ALGUIEN.
(PERO ¿*QUIÉN* ES?)

Juan ... Y ahora, ¡a usted!:

¿Cuántos años tiene usted?

Conteste: - Yo tengo ....

¿Cuántos? Perdón, ... ¿Qué edad tiene usted?

- Tengo ....

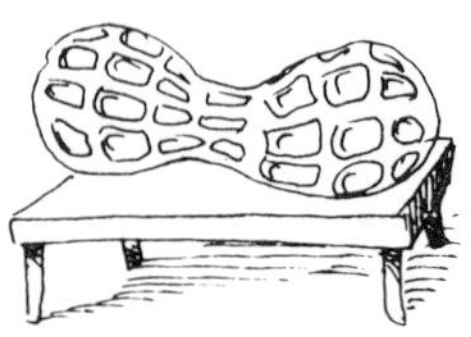

EN LA MESA, HAY ALGO.
(PERO ¿*QUÉ* ES?)

Juanita **Verdaderamente,** Juan, usted es demasiado indiscreto. ¡A la gente no le gusta hablar de eso! Adiós.

AQUÍ NO HAY NADIE.

FIN DE LA ESCENA 46

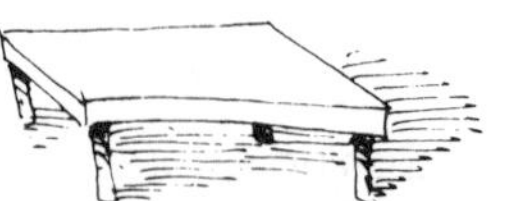

EN LA MESA NO HAY NADA.

EJERCICIO 46

I. PRESENTE NEGATIVO → IMPERATIVO NEGATIVO

PRESENTE NEGATIVO		IMPERATIVO NEGATIVO
	Usted no *nos* habla →	Por favor, ¡no *nos* hable!
	(Usted) no *me* escribe en inglés.	¡No *me* escriba en inglés!
REFLEXIVOS:	(Usted) no *se* sienta →	¡No *se* siente!
	(Nosotros) no *nos* levantamos.	¡No *nos* levantemos!
	(Ustedes) no *se* levantan.	¡No *se* levanten!

Regla: "Cuando el verbo está en el Imperativo NEGATIVO, la posición del pronombre objeto es la misma que en el PRESENTE negativo."

II. ESTUDIE EL VOCABULARIO DE LAS CUATRO ESTACIONES DEL AÑO:

¿Qué tiempo hace? ¿Cuál es la temperatura? ¿Cómo es el clima de su país?
– En *primavera* y en *verano*, hace buen tiempo, hace sol, hace calor. En *otoño*, hace viento y llueve. En *invierno*, hace frío y nieva.

III. EL PRETÉRITO.

El "Pasado" que estudiamos en el ejercicio 16 *no* es el único tiempo del pasado en español: para expresar el pasado, existe otro tiempo todavía *más* frecuente que el "Pasado" del ejercicio 16: es el PRETÉRITO. El Pretérito es un tiempo que se usa muchísimo cuando queremos expresar las acciones del pasado. Estudie:

Hoy compro (*Presente* de "comprar") un disco. La semana pasada, he comprado (*Pasado*) un disco. Ayer, compré (*Pretérito*) un disco.

HABL*AR* **(Verbos regulares en el pretérito)**	BEB*ER*	ABR*IR*
(yo) habl*é*	beb*í*	abr*í*
(tú) habl*aste*	beb*iste*	abr*iste*
(él, ella, usted) habl*ó*	beb*ió*	abr*ió*
(nosotros, nosotras) habl*amos*	beb*imos*	abr*imos*
(vosotros, vosotras) habl*asteis*	beb*isteis*	abr*isteis*
(ellos, ellas, ustedes) habl*aron*	beb*ieron*	abr*ieron*

IV. EJERCICIO ORAL:

Conjugue oralmente en el Pretérito: LLAMAR (un taxi, por ejemplo), COMER (una fruta), RECIBIR (una carta).

CORRECCIÓN:
Yo llam*é*, tú llam*aste*, él llam*ó*, nosotros llam*amos*, etc. Yo com*í*, tú com*iste*, él com*ió*, etc. Recib*í*, recib*iste*, recib*ió*, etc.

ESCENA 47

UNA GRAN REUNIÓN GENERAL

Juan *Escuche*. Estamos otra vez en la oficina.

Sr. López	- María, ¿tiene usted **un calendario**?
María	- Sí, Sr. López.
Sr. López	- Dígame... ¿Qué día es hoy?
María	- Hoy es el día 30 **de** septiembre, Sr. López.
Sr. López	- ¿El 30? ¿Ya es el 30? Ya estamos al final del mes...
María	- Sí, señor, hoy es el último día del mes: miércoles, 30 de septiembre.

Juan — *Repita* : El calendario **indica** el día, el mes y el año.

El calendario indica **la fecha** de hoy.

¿PARA ESTA SEMANA?
¡IMPOSIBLE!

Sr. López	-	**Quisiera organizar** una reunión en la oficina con mis clientes.
María	-	¿Para **esta semana**?
Sr. López	-	No: para esta semana es **imposible.** Hoy ya es miércoles; es demasiado tarde para **llamar** a todos los clientes. No **vamos a tener** tiempo. Yo quisiera organizar la reunión para **la semana que viene.**
María	-	¿Para el lunes de la semana **próxima**?
Sr. López	-	No: el **primer** día de la semana siempre tenemos demasiado trabajo.
María	-	Entonces, ¿para el martes?
Sr. López	-	Sí, **eso es:** el martes está bien. El martes de la semana que viene.

Juan ¿Cuál es el día de la reunión, el lunes o el martes?

Juanita - El día de la reunión es el martes.

Juan ¿El martes de **esta semana** o el martes de la semana que viene?

Juanita - El martes de la semana que viene.

Juan *Repita* : ¡No de **la semana pasada,** no de esta semana: de la semana que viene!

Conteste : ¿Quién **quiere** organizar la reunión, el Sr. Johnson o el Sr. López?

Juanita - El Sr. López quiere organizar la reunión.

Sr. López	- Por favor, María, llame a todos los clientes por teléfono. Llame a los señores Tihuacán, Johnson, Nakamura, Müller, etc. **Convoque** a todo el mundo para el martes.
María	- ¿A todo el mundo?
Sr. López	- Sí, a todos mis clientes.
María	- ¿Para el martes, día 4 de octubre?
Sr. López	- Sí.
María	- ¿Martes por la mañana o martes por la tarde?
Sr. López	- Por la mañana, a **las diez y media.**
María	- **Lo** escribo en mi calendario: "martes, 4 de octubre, a las diez y media." Está bien, Sr. López.
Sr. López	- Ahora, María, **usted tiene que telefonear** a los clientes.
María	- Sí, señor, en seguida, **inmediatamente.**

MARÍA TIENE QUE TELEFONEAR A UN MILLÓN DE PERSONAS... ¡PERO A MÍ, NO ME MENCIONA!

Juan	María no tiene que leer un periódico, **ni** escuchar la radio, no tiene que contar su dinero, **ni** mirar la televisión: María tiene que telefonear.
	Conteste: ¿Tiene que llamar a los clientes?
Juanita	- Sí, tiene que llamar a los clientes.
Juan	¿Tiene que **dar cita** a los clientes para el martes?
Juanita	- Sí, tiene que dar cita a los clientes para el martes.

Un empleado de la oficina.	- María, ¿qué tiene usted que **hacer**?
María	- Tengo que dar cita a todos los clientes del Sr. López para el martes.
El empleado	- ¿Para este martes que viene?
María	- Sí. A las diez y media. ¡**Tengo que** telefonear a **un millón** de personas!
El empleado	- ¡**Madre mía**!

Juan	*Conteste*: ¿María tiene que telefonear a mucha gente o a poca gente?
Juanita	- Tiene que telefonear a mucha gente.

María	- ¡A un millón de personas!

Juan ¡No, María: es imposible llamar a un millón de personas!

María	- ¿Que no? ¡Vamos a ver! ¡Vamos a contar! Cincuenta personas y cincuenta personas son **cien** personas.

Juan Cien personas.

Escuche. Vamos a hacer **un poquito de aritmética:**

Cien son diez **veces** diez.

Repita: diez **por** diez son cien.

Cien por diez son **mil.**

Mil por diez son diez mil.

Mil por cien son cien mil.

Mil por mil son un millón.

Repita otra **vez** *los números:* cien,

mil,

un millón.

Repita: una vez - otra vez - dos veces, tres veces, cuatro veces, **etc.**

Ahora *escuche* otra vez la conversación entre la secretaria y el director de **la compañía.**

Sr. López	- María, ¿tiene usted los números de teléfono de todos los clientes?
María	- No, Sr. López: no tengo el número del Sr. Emilio Rotúa.
Sr. López	- Su número es 674-0995.
María	- Y no tengo el número de teléfono del Sr. Antonio Málaga.
Sr. López	- ¿Pero tenemos su dirección?
María	- Sí.
Sr. López	- ¡Entonces, escriba una carta! Escriba **una carta de invitación** para los clientes y **una convocatoria** para los empleados. Tenemos que **convocar** a todo el mundo.
María	- ¡Ay!... **¡Cuánto** trabajo tengo!
Sr. López	- Y éste es **el registro** con **la lista** de los clientes.

Juan — *Repita*: El Sr. López da una lista a María.

El Sr. López le da una lista.

Conteste: ¿Hay muchos clientes?

Juanita - Sí, hay muchos clientes.

- Hay muchos.

Juan ¿Es larga o **corta** la lista?

Juanita - Es larga.

Juan *Repita*: El **contrario** del **adjetivo** "grande" es "pequeño."

El contrario del adjetivo "**largo**" es "**corto.**"

Escuche. No repita. María toma la lista y pone la lista encima de la mesa para llamar por teléfono a todos los clientes.

muy corta

muy larga

Un empleado de la oficina. - María,... ¿Este libro, qué es?
María - Es el registro de la oficina. El registro **contiene** las direcciones y los números de teléfono de **nuestros clientes.** Tengo que telefonear o escribir convocatorias a todo el mundo.
El empleado - ¿Por qué?
María - Porque hay una gran reunión general.
El empleado - ¡Ay!... ¡Cuánto trabajo!

Juan *Repita*: ¡Ay!... ¡Cuánto trabajo!

Conteste: ¿Tiene María que telefonear?

Juanita - Sí, María tiene que telefonear.

Juan ¿Tiene que escribir cartas?

Juanita - Sí, tiene que escribir cartas.

Esas cartas, ... ¿son cartas de **amor** para su amigo Alberto o convocatorias para la reunión?

Juanita - Son convocatorias para la reunión.

María - ¡Hoy no se habla de amor **sino** de trabajo!

FIN DE LA ESCENA 47

EJERCICIO 47

I. ESTUDIE EL PRETÉRITO DE LOS VERBOS IRREGULARES:

HACER (Cf. Ejercicio 20 para el *Presente* de HACER)
Yo hice, tú hiciste, él (ella, usted) hizo,
nosotros hicimos, vosotros hicisteis, ellos (ellas, ustedes) hicieron.

VENIR (Cf. Ejercicio 20 para el *Presente*)
yo vine, tú viniste, él vino,
nosotros vinimos, vosotros vinisteis, ellos vinieron.

QUERER (Cf. Ej. 39 para el *Presente* de QUERER)
yo quise, tú quisiste, él quiso,
nosotros quisimos, vosotros quisisteis, ellos quisieron.

TENER (Cf. Ej. 20 para el *Presente*)
yo tuve, tú tuviste, él tuvo,
nosotros tuvimos, vosotros tuvisteis, ellos tuvieron.

ESTAR (Cf. Ej. 12 para el *Presente*)
yo estuve, tú estuviste, él estuvo,
nosotros estuvimos, vosotros estuvisteis, ellos estuvieron.

SABER (Cf. Ej. 26 y 41 para el *Presente*)
supe, supiste, supo, supimos, supisteis, supieron.

PODER (Cf. Ej. 49 para el *Presente*)
pude, pudiste, pudo, pudimos, pudisteis, pudieron.

TRAER (Cf. Ej. 20 para el *Presente*)
traje, trajiste, trajo, trajimos, trajisteis, trajeron.

II. COMPLETE LAS FRASES CON EL PRETÉRITO:

1. Ayer, yo (BEBER) ____________ demasiado vino.
2. La semana pasada, Pedro, María y Alberto (ESTAR) ______________
   en la casa de la Sra. López.
3. El Sr. Johnson (VENIR) __________ a la oficina el año pasado.

CORRECCIÓN

1. Ayer, yo *bebí* demasiado vino
2. La semana pasada, Pedro, María y Alberto *estuvieron* en la casa de la Sra. López.
3. El Sr. Johnson *vino* a la oficina el año pasado.

ESCENA 48

ACTIVIDADES DIVERSAS

Juan — *Escuche.*

Pedro — - María, ¿es ésta la lista de los estudiantes de la escuela?
María — - No, no es la lista de los estudiantes de la escuela.
Pedro — - ¡Ah!

Juan — ¿Es **la lista de vinos** de un restaurante?

Juanita — - No, no es la lista de vinos de un restaurante.

Juan — Es una lista de nombres y teléfonos, ¿verdad?

Juanita — - Sí, es una lista de nombres y teléfonos.

Pedro — - María, ¿qué **tipo** de arte **prefiere** usted, la música, **la pintura** o **la escultura**?

Juan — ¡Shhh, Pedro!... Ahora **la pobre María** tiene demasiado trabajo: no tiene tiempo para hablar con usted.

Pedro — - Entonces, **me voy.** Me voy a mi casa.

Juan — *Repita*: Yo me voy.

Pedro **se va.**

Nosotros **nos vamos.**

María tiene que trabajar mucho, ¿verdad?

Juanita - Sí, tiene que trabajar mucho.

Juan *Repita*: En esta oficina, las secretarias **trabajan** mucho.

En esta compañía, todos **los empleados** trabajan mucho.

Un empleado	- ¡Eso es verdad! Aquí **se trabaja** mucho.

Juan El director da muchas **instrucciones:**

Sr. López	- María, ésta es la dirección de otro cliente. Es un hombre de negocios. Es japonés; trabaja en **el comercio** de **importación** y **exportación** de máquinas **electrónicas.** Tenemos que **anotar** su nombre y apellido en el registro.
María	- Sí, señor.
Sr. López	- Tenemos que **poner** su dirección y su número de teléfono en la lista.
María	- Sí, señor.
Sr. López	- Tenemos que llamar**le** por teléfono.
María	- Sí, señor.

¡POR DIOS!
¡BASTA YA!
¿CUÁNDO ES LA REUNIÓN?

Juan *Repita*: una máquina electrónica.

Importación y exportación de máquinas

electrónicas.

Sr. García	- Buenos días, María.
María	- ¡Ah, es usted, Sr. García! Buenos días.
Sr. García	- ¿El Sr. López dice que hay una reunión?
María	- Sí.
Sr. García	- Pero ... ¿cuándo?
María	- El martes.
Sr. García	- ¿El martes próximo?
María	- Sí.
Sr. García	- ¿A qué hora?
María	- A las diez y media.

Juan *Repita la pregunta:* ¿Cuándo?

Juanita - El martes que viene.

- El martes próximo.

Juan *Repita la pregunta:* ¿A qué hora?

Juanita - A las diez y media.

Juan *Repita*: a las diez y media, **es decir** a las diez y treinta minutos.

Escuche. Las diez y treinta minutos son las diez y media.

Las diez ... y ... cuarenta y cinco minutos son las once **menos cuarto.**

Repita : las diez... las diez **y cuarto...** las diez y media... las once menos cuarto.

Sr. García	- ¿Viene mucha gente?
María	- Sí, viene todo el mundo: los clientes, el director, **los socios, los empleados** de la compañía, **los colegas, etc. etc. etc...**

Juan *Repita*: un socio.

Un empleado.

Un colega de trabajo.

Conteste: ¿Es María **una empleada** de la compañía?

Juanita - Sí, es una empleada de la compañía.

¡QUÉ CONFUSIÓN MÁS GRANDE!

Juan	¿Es el Sr. López un cliente?
Juanita	- No, no es un cliente.
Juan	¿Qué es?
Juanita	- Es el director.
Juan	¿Es Pedro un colega de trabajo, un socio o un estudiante?
Juanita	- Es un estudiante.

Pedro	- ¡Pero un estudiante adulto! Hoy tengo diecinueve años.

Juan	¿Qué edad tiene Pedro ahora?
Juanita	- Ahora Pedro tiene diecinueve años.

Pedro	- Hoy tengo diecinueve años. Hoy es mi **cumpleaños.**
Sr. García	- ¡**Feliz cumpleaños,** Pedro!

¡FELIZ CUMPLEAÑOS!
¡SALUD
Y PROSPERIDAD!

Juan	¡Feliz cumpleaños!
	Y usted, señor, señora o señorita,
	¿Cuándo es su cumpleaños?
	- Mi cumpleaños es ....
	¡Ah! Muy bien. Y usted, Juanita, ¿cuál es

la fecha de su cumpleaños?

Juanita	- ¡Juan, otra vez tan indiscreto! Yo no quiero hablar de años ni de cumpleaños.

Juan — *Conteste*: ¿Dice Juanita cuándo es su cumpleaños?

Juanita — - No, Juanita no dice cuándo es.

Juan — Ella no lo dice.

Prefiere contestar las preguntas **generales** y hablar de **otra cosa.**

Juanita — - ¡Exactamente!

Juan — ¡Está bien, Juanita, está bien! ¡**Hablemos** de otra cosa!:

Hablemos de la reunión general.

NO TENGO SU NÚMERO.
ENTONCES TENGO
QUE ESCRIBIR.
¡ES URGENTE!

Sr. López	- María, ¿**escribió** usted la carta de convocación?
María	- ¿La convocatoria? Sí, señor. Aquí está.

Juan — ¿Escribió María la convocatoria?

Juanita — - Sí, María escribió la convocatoria.

María	- Ya **escribí** la carta, Sr. López. Aquí está.
Sr. López	- Gracias.

Juan — Ahora el director **puede** leer la carta:

Sr. López	- "A 30 de septiembre de 19... Estimado señor, Esta carta es para **anunciar** a nuestros clientes .... "

Juan — El director puede leer la carta

y **nosotros podemos** terminar esta escena.

FIN DE LA ESCENA 48

EJERCICIO 48

I. PRETÉRITO DE LOS VERBOS IRREGULARES (Continuación):

LEER (Cf. Escena 27 para el *Presente*)
yo leí, tú leiste, él (ella, usted) leyó,
nosotros leímos, vosotros leisteis, ellos (ellas, ustedes) leyeron.

DAR (Cf. Escena 44 para el *Presente*)
dí, diste, dió, dimos, disteis, dieron.

IR (Cf. Ejercicio 37 para el *Presente* de IR)
SER (Cf. Ejercicio 17 para el *Presente* de SER)
Nota: IR y SER tienen *el mismo* Pretérito:
fui, fuiste, fue, fuimos, fuisteis, fueron.

II. COMPLETE LAS FRASES CON EL PRETÉRITO DEL VERBO INDICADO:

1. Ahora yo hago el ejercicio 48; ayer, yo (HACER) ____________ el ejercicio 47.
2. Hoy los directores dan mucho trabajo a las secretarias.

   Ayer, María y Alberto (DAR) ________________ flores a la esposa del director.
3. Esta mañana, Pedro y Eduardo leen el periódico, pero el

   domingo pasado, ellos no lo (LEER) ____________________ .
4. ¿Qué (PASAR) __________________ en la escena número 36?
5. Pedro no (IR) ____________ al cine con Alberto y María.

CORRECCIÓN

1. Ahora yo hago el ejercicio 48; ayer, yo *hice* el ejercicio 47.
2. Hoy los directores dan mucho trabajo a las secretarias.
   Ayer, María y Alberto *dieron* flores a la esposa del director.
3. Esta mañana, Pedro y Eduardo leen el periódico, pero el domingo pasado, ellos no lo *leyeron*.
4. ¿Qué *pasó* en la escena número 36?
5. Pedro no *fue* al cine con Alberto y María.

ESCENA 49

EL CORREO

Sr. López	- "A 30 de septiembre de 19...
	Estimado señor,
	Esta carta es para **anunciar**
	a nuestros clientes, socios y empleados que el día martes, 4 de octubre, ... "

Juan *Conteste*: ¿Qué hace el director, lee la carta o lee el periódico?

Juanita - Lee la carta.

Juan *Repita* : **Él puede** leer la carta y nosotros podemos continuar: ¿Quién escribió **esa carta,** Pedro o María?

Juanita - María escribió esa carta.

Juan *Repita* : María **la** escribió.

¡Sí: la escribió María!

¿La escribió en inglés o en español?

Juanita - La escribió en español.

María	- Sr. López, usted tiene que **firmar** la carta.
Sr. López	- ¡Ah, sí! Tengo que firmar aquí...

Juan ¿Tiene María que firmar la carta?

Juanita - No, María no tiene que firmar la carta.

Juan ¿Quién tiene que firmar la carta,

la secretaria o el director?

Juanita - El director tiene que firmar la carta.

Sr. López	- Firmo aquí.

Juan *Conteste*: ¿Firma usted esa carta?

- No, yo no firmo ...

Juanita - No, yo no firmo esa carta.

Juan *Repita*: **Yo no he firmado** esa carta.

Conteste: ¿**Ha escrito usted** la carta?

- No, yo no he ...

Juanita - No, yo no he escrito la carta.

Juan ¿Quién ha escrito la carta?

Juanita - María ha escrito la carta.

Juan ¡Sí, María ha escrito o: María escribió la carta! *Escuche*. Ahora María pone **las estampillas.**

María	- Para una carta **normal,** tengo que **poner una estampilla** de cuarenta **centavos.**

Juan Y ahora María toma todas las cartas y va al **correo** con las cartas.

Repita : María **lleva** las cartas al correo.

María	- **Llevo** las cartas al correo, Sr. López.
Sr. López	- Bien, María.

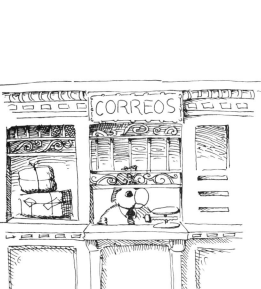

Juan **¿A dónde** va María?

Juanita - Va al correo.

Juan ¿Qué lleva? ¿Cartas o regalos para su familia?

Juanita - Lleva cartas.

Juan ¿Cartas para Alberto o cartas de la oficina?

Juanita - Cartas de la oficina.

Juan *Escuche*. Ya son las cinco y cuarto.

María **ha llevado** todas las cartas

al correo. Ahora **vuelve** a la oficina.

Sr. López	- ¿María?
María	- Ya está, Sr. López: he llevado todas las cartas al correo. ¡Ah!...Y ha llegado este **telegrama.** Es para usted.
Sr. López	- Gracias. Hoy **hemos trabajado** mucho. Usted, María, ya puede **irse a su casa.**
María	- Pero ... todavía no son las seis; todavía no es hora de cerrar la oficina. Sólo son las cinco y cuarto...
Sr. López	- Sí, lo sé. Pero **no importa:** Hemos trabajado **bastante** hoy. **Si** usted quiere, ya puede irse.
María	- Muchas gracias, Sr. López. Adiós.
Sr. López	- Hasta mañana.

Juan ¿Qué hace María, entra en la oficina o

sale de la oficina?

Juanita - María sale de la oficina.

María	- Son las cinco y cuarto.

Juan *Repita*: Hoy María sale del trabajo

a las cinco y cuarto.

Sale del trabajo y **se va** a su casa.

Pedro	- ¡María! ¿Se va usted?
María	- Sí, me voy.
Pedro	- Pero ... **no entiendo:** esta oficina cierra a las seis... y ahora sólo son las cinco y cuarto.
María	- No importa. Me voy. Me voy a mi casa.
Pedro	- ¡María, **espere**! ¡Espere un momento! Yo también me voy. Me voy con usted.
María	- Bueno, **espero.** ¡Pero **venga pronto**!

Juan *Conteste*: ¿A dónde se va María, al cine o a su casa?

Juanita - Se va a su casa.

Juan ¿A qué hora se va?

Juanita - Se va a las cinco y cuarto.

Juan	¿Se va sola o con otra persona?
Juanita	- Se va con otra persona.
Juan	*Repita*: con otra persona, con **alguien.**
	¡Sí: María se va con alguien! ¿**Con quién**
	se va, con Alberto o con Pedro?
Juanita	- Se va con Pedro.

María	- ¡Pedro, venga pronto! Si no viene pronto, me voy sola.
Pedro	- ¡Ya voy, ya voy!

Juan	*Repita*: María **espera** a Pedro...
	Los minutos **pasan** ...
	María espera, y espera, y espera ...
	¡Y Pedro que no viene!

Pedro	- ¡Aquí estoy!
María	- ¡Por fin! ¡**Vámonos**!

Juan	Pedro y María **se van** juntos.
Juanita	...Y nosotros también **nos vamos.** ¡Adiós!

FIN DE LA ESCENA 49

EJERCICIO 49

I. ESTUDIE LOS COLORES EN LOS EJEMPLOS SIGUIENTES:

La leche es *blanca*. La nieve es blanca. El café solo es *negro*.
El blanco y el negro forman el *gris*. Cuando hace mal tiempo, el cielo está gris, y cuando hace buen tiempo, el cielo está *azul*.
El terreno de fútbol es *verde*. Las plantas del jardín son verdes.
El canario es *amarillo*. En Nueva York, los taxis son amarillos.
Los colores de la bandera española son: amarillo y *rojo*.

II. ESTUDIE LOS CONTRARIOS:

El director *siempre* firma las cartas ... pero María no firma *nunca*.
La Sra. García quiere comer *algo* ... pero no quiere beber *nada*.
Ella come *mucho*, come *muchísimo* ... pero bebe *poco*, bebe *poquísimo*.
María va al cine con *alguien* ... pero el pobre Pedro no va con *nadie*.
(con Alberto) (Va solo)

III. COMPLETE LAS FRASES SIGUIENTES CON EL VERBO "TENER":

1. Es necesario telefonear: María ______________ que telefonear.
2. Es necesario repetir las frases: yo ______________ que repetir...
3. Es necesario saber los verbos: nosotros ______________ que saber...
4. Es importante estudiar: los estudiantes ______________ que estudiar.

IV. ESTUDIE LOS VERBOS QUERER Y PODER

Presente	*Pasado*	*Pretérito*	*Presente*	*Pasado*	*Pretérito*
quiero	he querido	quise	puedo	he podido	pude
quieres	has querido	quisiste	puedes	has podido	pudiste
quiere	ha querido	quiso	puede	ha podido	pudo
queremos	hemos querido	quisimos	podemos	hemos podido	pudimos
queréis	habéis querido	quisisteis	podéis	habéis podido	pudisteis
quieren	han querido	quisieron	pueden	han podido	pudieron

(En la escena 48, Juanita *no quiso decir*nos su edad. ¡Juan *no pudo saber* ni la fecha de su cumpleaños!)

CORRECCIÓN

1. Es necesario telefonear: María *tiene que telefonear*.
2. *yo tengo que repetir* 3. *tenemos que saber* 4. *tienen que estudiar*.

ESCENA 50

TRES AÑOS DESPUÉS, TRES AÑOS MÁS TARDE.

Juan — *Escuche. No repita.* El tiempo ha pasado...

Ha pasado mucho tiempo... Tres años exactamente.

Han pasado tres años.

Pedro, María y el Sr. García ya no están en la oficina. Para saber dónde están nuestros amigos, vamos a escuchar una conversación **entre** dos empleados de la oficina. Hablan de María.

Un empleado -	Ahora, María está **casada.**
Otro empleado -	Sí! Ella y Alberto **forman** un matrimonio muy **feliz.** Ahora los dos están en Méjico. Están **de vacaciones** en Acapulco.

Juan	*Repita* : María está casada.
	Conteste : ¿Quién es **el esposo** de María?
Juanita	- El esposo de María es Alberto.
Juan	¿Están **felices** los dos?
Juanita	- Sí, están muy felices.
Juan	¿En qué país están ahora María y Alberto, en Guatemala o en Méjico?
Juanita	- Están en Méjico.
Juan	¿En qué ciudad de Méjico están, en Guadalajara o en Acapulco?
Juanita	- Están en Acapulco.
Juan	¿**Les** gusta Acapulco? - Sí, ...
Juanita	- Sí, Acapulco les gusta.
Juan	¿Qué **hacen** allí, trabajan o están de vacaciones?
Juanita	- Están de vacaciones.

El primer empleado.	- ¿Y Pedro? ¿Dónde está ahora? ¿Qué hace? y ¿cómo está?
El segundo empleado.	- Pedro está bien. Ahora tiene veinte años y trabaja en **una farmacia.** Trabaja con su padre: la farmacia es de su padre.

Juan — *Conteste*: ¿Qué edad tiene Pedro ahora, diecisiete años o veinte años?

Juanita — - Ahora Pedro tiene veinte años.

Juan — ¿Trabaja con su padre o con el Sr. López?

Juanita — - Trabaja con su padre.

Juan — ¿Trabaja en una tienda de discos?

Juanita — - No, no trabaja en una tienda de discos.

Juan — ¿Qué **negocio** tiene su padre, **un bar** o una farmacia?

Juanita — - Su padre tiene una farmacia.

Juan — Entonces, ¿qué vende, discos, vinos y

aperitivos o **medicinas**?

Juanita - Vende medicinas.

El primero - ¿Y el profesor, el Sr. García?
El segundo - ¡Oh! Él está en **la Argentina**, con su esposa.
El primero - ¿Y qué hace en la Argentina? ¿Está de vacaciones también?
El segundo - No, no, trabaja en **la Universidad** de Buenos Aires; **da clases** para adultos: clases de español y clases de **literatura**.

Juan ¿En qué país están ahora el Sr. y la Sra. García?

Juanita - Ahora ellos están en la Argentina.

Juan ¿Están de vacaciones?

Juanita - No, no están de vacaciones.

Juan ¿En qué ciudad están, en Buenos Aires o en Córdoba?

Juanita - Están en Buenos Aires.

Juan Buenos Aires es **la capital** del país, ¿verdad?

Juanita - Sí, Buenos Aires es la capital del país.

Juan ¿Qué hace allí el profesor, **da lecciones particulares** o da clases en la universidad?

Juanita - Da clases en la universidad.

Juan	¿Son clases de **matemáticas**?
Juanita	- No, no son clases de matemáticas.
Juan	¿Son clases de **historia**?
Juanita	- No, no son clases de historia.
Juan	El Sr. García da clases de español y de literatura, ¿verdad? - Sí, da clases de ...
Juanita	- Sí, da clases de español y de literatura.
Juan	*Escuche. No repita.*

¡POBRE DE MÍ! ¡YA NO TENGO SECRETARIA!

El primero	- ¡Pero nuestro director, el Sr. López está siempre aquí, en su oficina!
El segundo	- ¡Claro! ¡Es **presidente** de la compañía! Ahora está muy **preocupado** porque no tiene secretaria. Después de María, él **ha tenido** dos o tres secretarias ... pero **ninguna se ha quedado.** Y ahora él no tiene **ninguna** secretaria.

Juan	Ahora que María ya no está, el director no tiene secretaria.
	Ha tenido dos o tres pero no se quedaron.
	Y ahora no tiene ninguna secretaria.
	Repita: No tiene ninguna.

El primer empleado.	- El director **necesita** una secretaria para **reemplazar** a María. Busca en **los anuncios** del periódico.
El segundo	- Y telefonea a las agencias de empleo.

Juan	*Repita*: El director busca secretaria.
	Lee los anuncios en el periódico
	y telefonea a **varias** agencias de empleo.

Sr. López	- ¿Agencia Vargas?... **Necesitamos** una secretaria. ¿Puede usted **recomendar** a **alguien**?... ¿No?... ¿No tiene a **nadie**? Bien, gracias. Adiós.
Un empleado	- ¿Hay alguien?
Sr. López	- No, no hay nadie.
El empleado	- **¡Qué pena!**

Juan	*Conteste*: ¿Hay alguien ... o no hay nadie?
Juanita	- No hay nadie.

Sr. López	- ¿Agencia Martín? Buenos días... **Buscamos** otra secretaria. **¿Puede usted recomendar a alguien**? ¿Hoy, no? ¿Pero mañana es **posible**? Bien, **llamaré** mañana. Adiós.

Juan El director busca otra secretaria pero no

la **encuentra.**

No encuentra a nadie para reemplazar a María.

<u>Repita</u>: Yo no **encuentro,**

él no encuentra,

nosotros no **encontramos,**

ellos no **encuentran.**

Sr. López	- Bien, llamaré otra vez mañana. Adiós. **Vamos a llamar** otra vez mañana.

Juan El Sr. López **va a llamar** otra vez.

Va a llamar otra vez mañana.

<u>Repita</u>: El Sr. López **llamará** otra vez mañana.

Un empleado	- **Llamaremos** mañana, Sr. López.

Juan *Repita **el futuro** del verbo "llamar":*

Yo llama**ré,** él llama**rá,**

nosotros llama**remos,** ellos llama**rán.**

Un empleado	- ¡Sr. López! Es para usted.
Sr. López	- Gracias. ¿Sí?... ¿Quién habla?
María	- ¡Soy yo, Sr. López! ¿No me **reconoce**?
Sr. López	- ¡María! ¡Qué **sorpresa**! ¿Cómo está?
María	- Muy bien. ¿Ya tiene usted secretaria?
Sr. López	- No, todavía no: **no hemos encontrado** a

		nadie. No sé **lo que voy a hacer...**
María	-	Yo tengo a una amiga que es secretaria. A ella le gustaría mucho trabajar para usted. **Si** usted me **permite,** yo quisiera recomendar**la.** ¿Puede ella **pasar** por su oficina para hablar con usted?
Sr. López	-	¡Cómo no, María! **Necesitamos** una buena secretaria. **Si** su amiga es **tan** buena secretaria **como** usted, yo la **contrataré** en seguida.
María	-	¡Estupendo! Ella **estará** muy **contenta.**
Sr. López	-	Y nosotros aquí también **estaremos** muy **contentos.** ¿Cómo se llama su amiga?
María	-	Se llama Carmen. Ella **pasará** por la oficina mañana por la tarde.
Sr. López	-	¡Perfecto! Yo la **esperaré** en mi oficina.
María	-	Muy bien. Adiós, Sr. López.
Sr. López	-	Adiós, María. Muchas gracias. ¡Y **un saludo** a Alberto!

¡HOLA! YO SOY LA HERMANA DE CARMEN. ELLA NO PUEDE VENIR HOY... PERO SI USTED QUIERE, YO PUEDO REEMPLAZARLA. ME LLAMO PAQUITA. PARA SERVIRLE.

Juan	*Repita*: Mañana, el director **tendrá** otra secretaria.
	*Repita el futuro del verbo "**tener**":*
	Yo **tendré,** él **tendrá,**
	nosotros **tendremos,** ellos y ellas **tendrán.**

Sr. López	- ¡Mañana tendremos una **nueva** secretaria!

Juan	¿Quién **recomendó** a esa secretaria?
Juanita	- María recomendó a esa secretaria.
	o: María la recomendó.
	o: La recomendó María.

Un empleado	- ¿Cómo se llama la amiga de María?
Otro empleado	- ¿**La que viene** mañana?
El primero	- Sí, ¿cómo se llama?
El segundo	- Carmen. **Dicen** que es muy bonita.
El primero	- ¿Qué edad tiene? ¿Es **joven**?
El segundo	- No sé, pero dicen que no está casada.
El primero	- ¡Ah!...

Juan	¿Cómo se llama la **nueva** secretaria?
Juanita	- Se llama Carmen.
Juan	Así continúa **la vida** en la oficina...
	... ¡Y así termina nuestro programa!

Juanita	**Estimados** señores, señoras y señoritas, un millón de gracias por su atención
Juan	¡Y por su **buen** trabajo!
Juanita	Adiós.
Juan	Adiós ... Y si va de vacaciones, **¡buen viaje!**

FIN DE LA ESCENA 50, **última** escena de este programa.

EJERCICIO 50

I. ESTUDIE LA FORMA PROGRESIVA DEL PRESENTE (ESTAR + ...ando ESTAR + ...iendo)

	PRESENTE		FORMA PROGRESIVA DEL PRESENTE
MIR**AR**	: Yo miro la televisión	=	Yo estoy mir*ando* la televisión.
VEND**ER**	: Yo vendo mi casa	=	Yo estoy vend*iendo* mi casa.
ESCRIB**IR**	: Yo escribo una carta	=	Yo estoy escrib*iendo* una carta.

Otros ejemplos

Con el verbo TRABAJAR: Ahora Pedro *está trabajando* en una farmacia.
Con DAR: Ahora el profesor *está dando* clases en la universidad.
Con APRENDER: Los estudiantes *están aprendiendo* mucho.
Con HACER: Hoy *está haciendo* mucho calor.
Con LEER: Nosotros *estamos leyendo* esta página.
Etc...

II. ESTUDIE EL FUTURO (Además de la forma IR + INFINITIVO mencionada en el ejercicio 37)

	VIAJ**AR**	PERMIT**IR**	ENTEND**ER**
yo	viaj*aré*	permit*iré*	entend*eré*
tú	viaj*arás*	permit*irás*	entend*erás*
él (ella, usted)	viaj*ará*	permit*irá*	entend*erá*
nosotros (nosotras)	viaj*aremos*	permit*iremos*	entend*eremos*
vosotros (vosotras)	viaj*aréis*	permit*iréis*	entend*eréis*
ellos (ellas, ustedes)	viaj*arán*	permit*irán*	entend*erán*

Ejemplo: Hoy estoy en Chicago pero mañana *estaré* en Madrid.

FUTURO IRREGULARES:

TENER: ten*dré*, ten*drás*, ten*drá*, ten*dremos*, ten*dréis*, ten*drán*.
VENIR: ven*dré*, ven*drás*, ven*drá*, ven*dremos*, ven*dréis*,ven*drán*.

HACER: ha*ré*, ha*rás*, ha*rá*, ha*remos*, ha*réis*, ha*rán*.
DECIR: di*ré*, di*rás*, di*rá*, di*remos*, di*réis*, di*rán*.

Otros verbos irregulares en el futuro:

SABER (sa*bré*, sa*brás*, etc...)
PONER (pon*dré*, etc...); SALIR, contrario de "entrar" (sal*dré*...)
PODER (po*dré*), QUERER (que*rré*), etc...

III. ESTUDIE OTRO TIEMPO DEL PASADO: EL IMPERFECTO.

Ejemplos: Cuando María trabaj*aba* de secretaria para el Sr. López, ella contest*aba* el teléfono y escrib*ía* todas las cartas.

Cuando Pedro estudi*aba* español, él escuch*aba* las escenas, repet*ía* las frases, le*ía* el texto en el libro y hac*ía* todos los ejercicios.

	VISIT**AR**	COM**ER**	ABR**IR**
yo	visit*aba*	com*ía*	abr*ía*
tú	visit*abas*	com*ías*	abr*ías*
él (ella, usted)	visit*aba*	com*ía*	abr*ía*
nosotros (nosotras)	visit*ábamos*	com*íamos*	abr*íamos*
vosotros (vosotras)	visit*ábais*	com*íais*	abr*íais*
ellos (ellas, ustedes)	visit*aban*	com*ían*	abr*ían*

IMPERFECTOS IRREGULARES:

IR: *iba*, *ibas*, *iba*, *íbamos*, *íbais*, *iban*.
SER: *era*, *eras*, *era*, *éramos*, *érais*, *eran*.
VER: *veía*, *veías*, *veía*, *veíamos*, *veíais*, *veían*.

Ejemplos: El año pasado, Pedro *iba* a la oficina todos los días.
María *era* la secretaria del Sr. López.
Alberto *veía* a María todos los sábados.

IV. ESCRIBA OTRO TIPO DE EJERCICIO: UN DICTADO.

INSTRUCCIONES PARA ESCRIBIR EL DICTADO:

(a) Escuche otra vez el comienzo de la escena 50.
(b) Pare su cassette después de la primera frase.
(c) Escriba la frase *sin mirar el texto*.
(d) Escuche la segunda frase, pare la cassette y escriba la segunda frase sin mirar el texto.
(e) Escuche la tercera frase sin mirar el texto, etc...

CORRECCIÓN del dictado: ¡Ahora sí, puede mirar el texto y corregir sus errores!

V. ¡COMPLETE LAS FRASES CON EL VERBO INDICADO (en el tiempo indicado):

1. Ésta (SER, Presente) ______________ una recapitulación de los diversos tiempos que ustedes (ESTUDIAR, Pretérito) __________________ .

2. Ayer, el Sr. López (HABLAR, Imperfecto) ____________________ con sus empleados cuando María (TELEFONEAR, Pretérito) ______________________ .

V. COMPLETE LAS FRASES(Continuación de la página anterior)

3. La nueva secretaria (LLAMARSE, Presente) ____________________ Carmen.

4. Carmen (LLEGAR, Futuro) ______________________ mañana.

5. En la escena 45, la Sra. López (TOCAR, Pretérito) __________________ la guitarra para sus invitados.

6. Todos los domingos, el Sr. y la Sra. López (JUGAR, Imperfecto) _________________ al tenis mientras el Sr. García (LEER, Imperfecto) ___________________ el periódico en su casa.

7. Por favor, señor, (ESCUCHAR, Imperativo)¡ _______________ las frases pero no las (REPETIR, Imperativo) _________________ en inglés!

8. Por favor, señoras y señores, (LEVANTARSE, Imperativo) ¡ _______________ !

9. Ahora nosotros (CONTESTAR, Presente Progresivo, con "estar") ____________ ___________________________ las últimas preguntas del último ejercicio.

10. La semana que (VENIR, Presente) _____________ , yo también (ESTAR, Futuro) __________________ de vacaciones en Acapulco. ¡Qué felicidad!

CORRECCIÓN en la página siguiente

CORRECCIÓN DEL EJERCICIO ANTERIOR

1. Ésta es una recapitulación de los diversos tiempos que ustedes *estudiaron*.
2. Ayer, el Sr. López *hablaba* con sus empleados cuando María *telefoneó*.
3. La nueva secretaria *se llama* Carmen.
4. Carmen *llegará* mañana.
5. En la escena 45, la Sra. López *tocó* la guitarra para sus invitados.
6. Todos los domingos, el Sr. y la Sra. López *jugaban* al tenis mientras el Sr. García *leía* el periódico en su casa.
7. Por favor, señor, ¡*escuche* las frases pero no las *repita* en inglés!
8. Por favor, señoras y señores, ¡*levántense*!
9. Ahora nosotros *estamos contestando* las últimas preguntas del último ejercicio.
10. La semana que *viene*, yo también *estaré* de vacaciones en Acapulco. ¡Qué felicidad!

CONTENIDO DE LOS EJERCICIOS